D0714768

à la poursuite
du diamant vert

JOAN WILDER
avec la collaboration de Catherine Lanigan
d'après le scénario de Diane Thomas

à la poursuite du diamant vert

traduit de l'américain par Jean-Paul MARTIN

Éditions J'ai Lu

Pour tous les romantiques,
et surtout pour nos parents.

Ce roman a paru sous le titre original :

ROMANCING THE STONE

1

Dans la cabane de montagne, Angelina tournait une sauce de civet dans une marmite. Ecartant une longue boucle auburn, d'une claque elle tenta de nouveau d'écraser une mouche qui l'agaçait. Des poutres au-dessus d'elle pendaient des peaux tannées et devant la cheminée s'étalait une peau d'ours. Les murs, de bois grossièrement équarri et colmatés d'un mélange de boue, de sable et d'herbe, protégeaient des froids vents d'hiver. Parce qu'elles constituaient un luxe, Angelina veillait à conserver aux vitres de l'unique petite fenêtre une propreté étincelante.

Cet abri primitif offrait un saisissant contraste avec l'immense ranch où elle avait grandi. Plus de soirées ou de barbecues pour justifier l'achat d'une nouvelle robe de soie.

Enfuis ces jours où sa sœur Yolanda et elle passaient des heures à se baigner dans des baignoires de cuivre pleines d'eau chaude parfumée à la rose et où Conchita, la femme de chambre, leur frisait les cheveux au fer. Comme elles se taquinaient alors et feignaient de se chamailler pour des rubans et des jupons!

Et quelle fierté pour papa que ses deux filles! Les

plus jolies filles du Texas, mais aussi les meilleures tireuses et, après Rex, le contremaître, les meilleures cavalières du comté. Papa leur avait enseigné tout son savoir en matière d'élevage du bétail et donné tous les talents pour y exceller.

Souvent, il plaisantait quant au genre d'homme qui pourrait mater ses filles. Car non seulement elles étaient intelligentes et jolies mais femmes jusqu'au bout des ongles.

Angelina en était bien consciente! Alors que son corps s'épanouissait en courbes douces et pleines, ses désirs s'étaient faits plus insistants. Bien souvent elle avait dû sortir dans l'air frais du soir pour apaiser les feux qui la dévoraient.

Et voilà que tout semblait mort en elle, et il lui semblait inutile de revenir sur le passé, sur un mode de vie – sur ce qu'elle était alors.

Elle aimait cette heure de l'après-midi où seul le bruit de la cascade rompait le silence.

Soudain, la porte verrouillée fut arrachée de ses gonds sous le choc d'une énorme botte. Angelina, sursautant, se retourna et vit sur le seuil une gigantesque silhouette d'homme, une cigarette allumée au coin de ses lèvres desséchées, qui pointait son fusil sur elle :

– Tu choisis quoi, Angelina? demanda-t-il.

Pétrifiée, elle se demanda comment Grogan avait pu la retrouver, elle qui, dans sa naïveté, pensait l'avoir semé à la rivière au cours de l'hiver 1874. Cesserait-il jamais de la traquer?

Grogan s'approcha, l'arme pointée sur la poitrine à demi nue d'Angelina. Furtivement, elle dégagea un poignard de sa botte.

– Tu peux choisir ta mort, Angelina. Rapide, comme la langue d'un serpent, ou plus lente que la mélasse en janvier.

Un éclair de haine passa dans les yeux verts d'Angelina, ne faisant qu'attiser la colère de l'homme.

– Je te tuerai, bon Dieu, même si c'était le jour de la Fête nationale. Où tu l'as mis?

Les yeux de Grogan fouillèrent la pièce puis s'arrêtèrent sur les fontes accrochées à la barre de la couchette. Un instant, il parut oublier Angelina.

D'un mouvement leste, elle s'empara du poignard et par sa pointe le lança d'un geste précis. Un éclair d'argent zébra l'air et s'enfonça dans le dos de Grogan qui s'effondra avec un bruit sourd en travers du seuil; ses yeux morts fixaient son agresseur.

D'une main tremblante, Angelina jeta un poncho de peau sur ses épaules et serra contre sa poitrine les précieuses fontes. C'en est fini de Grogan, pensa-t-elle, de l'homme qui avait tué son père, violé et assassiné sa sœur, brûlé son ranch, abattu son chien... et volé sa Bible.

Elle ne ressentait pas le moindre remords pour ce meurtre qu'elle venait de commettre ni pour le fusil volé sur le cadavre. Prudemment, elle sortit dans l'éclatant soleil de l'après-midi, arma son fusil et scruta les alentours, attentive à tout mouvement suspect. Puis elle fonça vers son cheval, attaché à côté de la monture de Grogan. Les rênes solidement en main, elle sauta en selle et pressa les flancs de l'animal. Elle savait que Grogan était venu seul mais s'il existait une loi dans l'Ouest... c'est que les salopards ont des frères.

Elle avait traversé les badlands au galop. Soudain au bord d'un ravin, elle retint son cheval. Devant elle, là, quatre étalons détalaient dans le défilé avec un bruit de tonnerre. Leurs cavaliers, vêtus de cache-poussière qui leur descendaient jusqu'aux chevilles, portaient des chapeaux noirs et des foulards pour se protéger du sable et de la poussière. Ensemble, ils s'arrêtèrent et parurent regarder un point derrière Angelina.

En haut de la colline, une haute silhouette à cheval projetait une ombre menaçante sur les hommes en dessous. A sa façon de se tenir droit sur sa monture et à l'angle si particulier de son chapeau, Angelina reconnut Jesse.

Jesse McCoy, son homme, celui qu'elle avait choisi deux ans plus tôt lorsqu'elle s'était volontairement donnée à lui, lors d'un de ces barbecues que donnait son père en fin de saison après le rassemblement du bétail.

Toute la journée, les cuisiniers avaient rôti et arrosé deux bœufs entiers au-dessus d'un lit de braises. Et ces montagnes d'épis de maïs, de petits pois frais et d'okras cuits, ces marmites de haricots et de chili, ces paniers de pains de maïs! Et ces tartes aux noix de pécan et ces glaces à la fraise que l'on faisait tout spécialement pour ces festivités!

Le patio mexicain dallé, avec son énorme chêne décoré de lampions de couleurs et de pots de géraniums rouges, constituait le coin favori d'Angelina. Un orchestre de cinq musiciens faisait danser les invités sous la tonnelle de glycine.

Angelina avait passé plus d'un mois, avec Conchita, à confectionner sa robe, copiée d'un modèle de Worth à Paris. Angelina avait commandé à New York le satin émeraude et la large dentelle pour les manches. Le corsage, au décolleté carré, ajusté à la taille, surmontait une jupe plissée drapée par-derrière sur une tournure et tombant en une traîne gracieuse. Elle avait bordé de dentelle les manches courtes et bouffantes ainsi que la traîne. Une fois la robe terminée, elle avait été juger de son effet devant la psyché.

Et pourtant quelque chose n'allait pas parfaitement. Conchita, fière de son travail, n'était pas de son avis. Mais Angelina ne fut pas longue à trouver. Une nuit elle travailla en secret dans sa chambre et le lendemain matin elle avait échancré le décolleté de sept bons centimètres. Angelina avait grandi, chacun allait pouvoir s'en rendre compte.

Jamais elle ne s'était sentie si féminine, si sensuelle. Elle passa des heures à sa toilette, à se baigner dans de l'eau de rose et à se frictionner avec une lotion adoucissante. A ses oreilles elle fixa les boucles d'émeraude offertes par son père pour ses seize ans et autour de son cou un ruban de satin émeraude avec le camée de sa mère. Dans ses cheveux brillaient des reflets cuivrés. Etait-ce la robe qui l'avait transformée ou ses yeux avaient-ils un éclat qu'elle n'y avait jamais vu auparavant?

Yolanda, vêtue de satin rose et rouge foncé, apparut sur le seuil et demanda, les yeux écarquillés :

– Qu'est-ce que tu as fait à ta robe? Papa va te tuer!

Angelina se cambra et sa poitrine tendit le satin de son corsage.

– Si je dois mourir, eh bien, que je vive intensément ce soir! Qu'est-ce que tu en dis, petite sœur?

Yolanda secoua la tête, ses boucles blondes dansant gaiement sur ses épaules rondes.

– C'est ta vie, dit-elle avec un petit rire espiègle.

– Descends la première. Je veux faire une entrée remarquée.

– J'allais oublier! Tu sais, cet homme avec qui parlait papa? Jesse McCoy – celui qui a piqué le ranch du vieux Peterson quand il a fait faillite le printemps dernier?

– Oui, oui, dit Angelina, agacée par tant de détails dramatiques.

– Eh bien, il est ici! Ici dans notre salon! Tu imagines ce culot, alors qu'il sait que tous les propriétaires le détestent pour avoir jeté dehors les Peterson!

– Vraiment, Yolanda, je ne pense pas qu'il ait fait cela. M. Peterson a perdu son ranch. Mais ce n'était pas du tout la faute de M. McCoy. Quand même, il faut qu'il ait du toupet pour venir ici!

– Angelina! Tu en as une façon de parler! Mais, ne t'inquiète pas, je ne dirai rien à papa. Tu vas avoir bien assez de mal à t'expliquer sur ta robe.

Angelina s'empara de son éventail, fin comme de la dentelle, jeta un dernier coup d'œil au miroir et se dirigea vers la porte.

– Je m'en débrouillerai. Quant à ce vieux type qui a acheté le ranch Peterson...

– Justement! Il n'est pas vieux du tout. Je ne pense même pas qu'il ait trente ans. Bien sûr, tu es meilleur juge que moi, dit Yolanda, consciente de la supériorité de son aînée.

– Yolanda! Tu m'étonnes. On dirait que cet homme te plaît, malgré ce que tu penses de lui.

– Tu verras bien, répondit Yolanda en lançant un sourire à sa sœur avant de descendre l'escalier dans un bruissement de jupes.

Angelina adorait sa sœur mais elle se sentait beaucoup plus mûre qu'elle.

Conchita avait fait des merveilles de décoration. La rampe de l'escalier sculpté était ornée de guirlandes de plantes grimpantes et de fleurs sauvages. Dans le hall, des poteries blanches et bleues regorgeaient de bégonias roses et des paniers de géraniums roses pendaient des poutres du plafond. Des grosses chandelles blanches fichées dans des candélabres de fer forgé nimbaient d'une lueur romantique les spacieux salons.

En bas, c'étaient les visages familiers de leurs voisins et amis. Seul un inconnu parlait avec son père.

Ses cheveux ondulés, noirs comme une aile de corbeau, brillaient à la lumière des chandelles. Grand, les épaules larges, le torse mince, il portait un costume noir, une chemise blanche à jabot et une cravate de lin. Jamais elle n'avait vu de pantalons aussi étroits.

Lorsque son père l'aperçut, il eut l'air si stupéfait que l'étranger suivit son regard. Et à cet instant les yeux verts d'Angelina se rivèrent à ceux de l'étranger. Des yeux d'un bleu si vif, comme la fleur de lupin – l'emblème du Texas – au printemps, qu'ils l'hypnotisèrent. Sous la moustache noire, les lèvres sensuelles s'entrouvrirent en un sourire admiratif. Les yeux de l'homme la détaillèrent de la tête aux pieds, s'attardant sur sa poitrine mise en valeur. Elle sentit son cœur cogner et ses seins se durcir contre la fine soie de la robe. Pleine d'un sentiment d'excitation tout nouveau, elle lui retourna son sourire tout en continuant à le fixer effrontément.

Son père monta quelques marches à sa rencontre et lui prit la main. Il souriait toujours mais il ne semblait pas particulièrement heureux d'un pareil étalage de « charmes ». Cependant, Angelina décida que c'était là la meilleure décision qu'elle eût jamais prise.

– Tu ne me présentes pas notre nouvel invité?

demanda-t-elle à son père, comme si elle n'avait pas remarqué sa réaction.

Et celui-ci ne put que dire :

– Bien entendu. Angelina, je te présente Jesse McCoy.

Dès l'instant où Jesse prit la main d'Angelina pour la lui baiser, elle sut qu'elle lui appartiendrait. Ensemble, ils sortirent dans le patio, comme elle le lui proposa. Ils parlèrent du ranch, du temps qu'il faisait et elle le présenta aux autres invités. L'orchestre attaqua une musique romantique et il l'invita à danser. Un homme qui faisait naître en elle d'aussi vives émotions devait posséder quelque chose de particulier. Dans ses bras, elle crut un instant qu'elle allait fondre puis, l'instant d'après, fut saisie d'un frisson.

Lorsqu'on servit le souper, Jesse disparut pendant un temps qui parut interminable. Lorsqu'elle l'aperçut de nouveau, il se trouvait assis à une table au bout du patio, en conversation avec Yolanda!

Furieuse, Angelina prit Josh Logan par le bras et lui demanda de lui tenir compagnie pour le barbecue. Depuis longtemps, Josh était amoureux d'Angelina et les banalités qu'il avait l'habitude de lui débiter l'ennuyaient à mourir. Mais ce soir, elle allait les utiliser à ses fins. Pendant tout le souper, elle ne prêta aucune attention à son assiette, les yeux sur Yolanda et Jesse McCoy. Pas une fois Jesse ne regarda dans sa direction, tant il semblait absorbé par Yolanda.

Lorsque le bal reprit, Angelina dansa avec tous les hommes, à l'exception de Jesse McCoy. Vers minuit, son père et quelques-uns des ranchers les plus âgés se rendirent au salon pour y discuter politique locale devant un verre de brandy.

Angelina décida qu'elle détestait Jesse McCoy qui

lui avait gâché sa soirée et elle sortit faire quelques pas dehors pour calmer sa colère. Une fois sous la fraîcheur des pins, avec le vent qui bruissait doucement, elle se morigéna pour sa stupidité. Jesse McCoy n'était qu'un homme, après tout, et elle n'avait que l'embarras du choix. Qu'il aille au diable! pensa-t-elle en donnant un coup de pied à une branche, ce qui lui arracha un cri de douleur.

J'aurais dû me souvenir que je portais des chaussures de danse et non des bottes! se dit-elle en s'appuyant contre un arbre pour masser son pied endolori.

Levant les yeux, elle vit une lueur rouge qui arrivait vers elle.

– Ne pensez-vous pas que vous courez des risques, toute seule dehors? demanda une voix.

A cet instant, un rayon de lune illumina le visage de Jesse McCoy.

– Je ne le pense pas. Je suis chez moi, répondit-elle avec une certaine froideur.

D'une pichenette, il jeta sa cigarette qu'il écrasa de son talon.

– Et qui vous protégera de moi? demanda-t-il en s'appuyant contre l'arbre et en se penchant vers elle.

– Je crois que je ferais mieux d'aller m'occuper de mes invités.

– Je suis l'un d'eux, Angelina, dit-il d'une voix basse en entourant sa taille d'une main tandis que de l'autre il saisissait sa gorge.

Angelina retint son souffle, écoutant les battements précipités de son cœur.

Lorsque les lèvres de Jesse rencontrèrent les siennes, ce fut une douce caresse. La langue de Jesse explora la bouche d'Angelina, ses lèvres, ses dents.

La main autour de son cou se mit à jouer avec les boucles auburn. Angelina n'aurait pu bouger même si elle l'avait voulu. D'ailleurs le voulait-elle?

Ce doit être cela la luxure, se dit-elle. Des sensations aussi merveilleuses, aussi excitantes, ne peuvent préfigurer que le mal.

Inclinant la tête, Jesse lui embrassa l'oreille, suivant le contour de son lobe comme un coquillage. De ses baisers enflammés, il marqua comme d'un fer rouge la poitrine et le cou d'Angelina dont les seins et les mamelons brûlaient de désir. Ce fut elle qui, lascivement, abaissa son corsage. Lorsqu'il découvrit ses seins nacrés qui chatoyaient au clair de lune, son souffle devint rauque.

– Mon Dieu, tu es merveilleuse. Et quelle féminité! souffla-t-il en caressant l'un des seins voluptueux dont il frotta et tira doucement le mamelon qui se durcit. Angelina eut envie de crier de plaisir.

Il avait réussi à déboutonner le dos de sa robe qui tomba en un tas sur le sol. Retirant sa veste, il y étendit Angelina, ses yeux bleus rayonnant de l'intensité de sa passion tandis qu'il s'allongeait près du corps nu.

De la langue et des lèvres, il traça une piste de feu, partant du bout des doigts et remontant le long de ses bras jusqu'aux seins. Il pétrissait doucement la chair, la caressait, gardant en mémoire chaque pouce de territoire conquis, parcourant la vallée du ventre, les collines des hanches et des cuisses. Sa tête vint reposer au creux de ses jambes dont il goûta la douceur des sucs.

Le plaisir d'Angelina atteignit une frénésie fiévreuse. Elle se contracta, se tordit, agrippant la tête de Jesse, ses doigts jouant avec les boucles brunes. Refrénant son envie de hurler, elle gémissait douce-

14

ment. Elle sentit la raideur de Jesse le long de sa jambe. Lentement, il se souleva sur un coude et vint se placer au-dessus d'elle.

Ainsi était arrivé le moment qu'on disait douloureux mais il la pénétra si facilement qu'elle n'en ressentit que du plaisir. Et tandis que le membre dur de Jesse se mouvait en elle, elle sut qu'ils ne pourraient jamais rien faire de mal en s'aimant ainsi. Jamais.

Lentement, habilement, il s'enfonçait plus profondément, la tourmentant impitoyablement, se retirant, ondulant, puis s'enfonçant de nouveau en elle.

Angelina, prenant appui sur sa tête, soulevait ses hanches, ses coups de reins allant à la rencontre de ceux de Jesse, transportée aux cieux, certaine que des étoiles et des météores explosaient autour d'elle, que la fin du monde était arrivée. Lorsqu'il frémit en elle, il étouffa de sa bouche les gémissements d'Angelina, continuant à la chevaucher jusqu'à ce qu'elle gise totalement comblée, épuisée.

Leurs cheveux moites de sueur, il la serra dans ses bras, pressant contre sa poitrine virile les seins nus d'Angelina.

– Tu es mienne, maintenant, Angelina. Aucun autre homme ne te prendra jamais, comprends-tu?

Angelina ne répondit pas. Ces mots ne lui laissaient qu'un sentiment de vide, comparés à la plénitude de l'instant passé.

– Non! Je ne comprends pas, dit-elle, se dégageant.

Jesse l'attira sur lui, ses yeux bleus la fixant d'un regard intense, sérieux.

– Je t'aime, Angelina. C'est cela que tu voulais entendre? Je te jure qu'à partir d'aujourd'hui rien ne nous séparera jamais. Je veillerai toujours sur toi et je serai toujours là quand tu auras besoin de moi. Je tiens toujours mes promesses.

– Nous y veillerons, dit Angelina avec un sourire.

Leur histoire d'amour s'était trouvée ballottée par la tempête au cours des années. Les malentendus, la distance, la tragédie et les catastrophes naturelles les avaient séparés. Mais Jesse avait dit vrai. Lorsque Grogan avait dévasté tout ce qui, dans la vie d'Angelina, lui était précieux, Jesse avait promis de mettre un terme aux exactions de ce vaurien et de ses frères.

Regardant Jesse sur son cheval en haut de la colline, Angelina savait, au fond de son cœur, qu'il tenait toujours ses promesses.

Tandis que son cheval dévalait la pente, Angelina entendit les frères Grogan tirer leurs armes.

Passant près d'elle au galop, Jesse dégagea sa Winchester et se mit à tirer, à coups rapides et précis. Sa première balle fit voler un revolver, la seconde arracha un chapeau, la troisième sectionna la sangle d'une selle, provoquant la chute du cavalier. Jesse visa l'homme et la balle frappa le canon de sa carabine qui lui éclata au visage. L'écho répercuta les cris de l'homme dans le ravin.

Tandis que Jesse prenait les frères Grogan en chasse, Angelina pressa les flancs de son coursier et se mit à couvert sous les arb*l*es.

★

Joan Wilder fixa la page dactylographiée devant elle. Son IBM Selectric à auto-correction revint en arrière et effaça le *l. Arbres*.

Elle coupa le contact de son IBM et étira ses bras

au-dessus de sa tête, faisant craquer ses épaules engourdies. Après un mouvement circulaire de la tête et des épaules, elle massa son cou endolori. Angelina était bien sa propre antithèse, songea-t-elle, consciente que son héroïne ne pourrait jamais être épuisée par une journée passée à sa machine à écrire. S'emparant de sa tasse « I Love New York » elle constata qu'elle était vide. Résignée comme à son habitude, elle allait se remettre au travail quand la sonnette de la porte d'entrée se fit entendre. Elle marqua un instant d'hésitation et consulta son calendrier. Bizarre, pensa-t-elle. Aucun rendez-vous ce jour-là. De nouveau, la sonnette.

Elle se leva et resserra la ceinture de son peignoir en éponge. En passant devant sa bicyclette d'exercice, pour atteindre l'interphone, elle se promit d'en faire le lendemain sans faute. Au mur, à côté de la sonnette, s'étalaient les jaquettes de ses romans : *Les Ravageurs* et *Le Retour d'Angelina*.

Lorsque la sonnette retentit de nouveau – deux coups rapprochés – elle appuya sur le bouton :

– Allô ?

– Joan Wilder ? demanda la voix avec un fort accent.

– Oui ?

Une toux sèche, cette fois, lui répondit, une toux d'homme âgé.

– Allô ? Allô ? dit-elle, troublée tout d'abord par ce silence puis envahie par la sensation étrange de s'adresser à quelqu'un qui n'était plus là.

Elle se frotta les bras, tentant de calmer ses nerfs. Ce qu'elle pouvait être gourde lorsque de telles choses se produisaient. Ce n'était pas la confiance en soi qui la caractérisait et il faut dire qu'elle ne faisait rien pour l'accroître.

Se penchant à la fenêtre, elle regarda dans la rue,

deux étages plus bas, mais ne vit pas l'homme à l'air sinistre qui – pardessus sombre et lunettes de soleil – grimpait dans un taxi en attente. Joan était beaucoup plus absorbée par le jeune couple qui, main dans la main, longeait le trottoir en flânant, puis s'arrêtait sous un chêne paré de neige gelée pour s'embrasser. Elle vit l'homme retirer son écharpe et en envelopper le visage de la femme pour la protéger du froid cinglant.

Ils devaient beaucoup s'aimer, songea Joan qui se demanda quelle serait sa vie si un homme s'occupait d'elle et souhaitait la protéger de l'hiver new-yorkais. S'éloignant de la fenêtre, elle sut que cela ne lui arriverait jamais. Joan Wilder était une spectatrice; à travers ses livres, ses cartes, ses piles de *National Geographic*, elle observait la vie mais ne la vivait jamais.

Elle était intelligente, d'une intelligence qui sans doute effrayait les hommes. Son corps, son instinct protestaient souvent contre cette rigueur, mais sa maîtrise de soi les faisait taire. Joan préférait oublier les moments douloureux qu'elle avait traversés, s'enorgueillissant de la stabilité et de la sécurité de sa vie, sans se rendre compte qu'elle ne devait son équilibre qu'au fait de n'affronter qu'exceptionnellement les événements en toute spontanéité.

Elle laissa retomber le rideau. Sur la table, une photo d'elle et de sa sœur aînée, Elaine. Elaine se trouvait au premier plan, un sourire radieux sur son joli visage, tandis que Joan s'effaçait à l'arrière-plan, comme si l'appareil allait lui dérober une partie de son essence.

Joan et Elaine avaient vécu une enfance normale, heureuse, à Akron, Ohio. Le père de Joan, vice-président de la First National Bank d'Akron, consacrait tous ses loisirs à sa famille, mis à part sa partie de golf hebdomadaire. Chaque année, les deux semaines de vacances de John Wilder étaient consacrées à visiter l'Amérique en voiture, si bien qu'à dix-huit ans Joan connaissait les quarante-huit Etats continentaux des Etats-Unis. L'année où la famille projetait de se rendre à Hawaï, le premier voyage en avion de Joan, John et Eileen Wilder avaient trouvé la mort dans un accident d'auto en rentrant d'un match de foot de l'équipe de l'Ohio.

Elaine, de deux ans l'aînée de Joan, s'inscrivit à l'université de New York. Elaine, la « patronne » comme l'appelait sa mère, s'occupa des questions financières, discuta avec le notaire de la famille, s'employa à mettre en vente la maison et insista pour que Joan vienne vivre à New York avec elle. Ensemble, dit-elle, elles pourraient poursuivre leurs études, partager les frais et investir leur héritage aussi judicieusement que possible. Elaine renonça aux beaux-arts pour l'économie et Joan s'inscrivit en lettres, avec l'anglais et l'histoire pour matières principales. Les décisions rapides et réalistes d'Elaine, malgré son jeune âge, faisaient l'admiration de Joan.

Elaine avait toujours été la plus populaire des deux sœurs Wilder et, au lycée, on l'avait choisie comme reine de la promotion puis comme reine de la fête du début de la saison sportive. Quant à Joan, elle n'avait même pas réussi à se faire élire au conseil des élèves. Joan savait que la chance n'avait rien à voir avec les succès de sa sœur car Elaine ignorait tout bonnement quand renoncer à essayer. Les rares fois où Joan avait tenté de se montrer plus ouverte, les résultats avaient toujours été décevants.

Les années de lycée s'étaient déroulées sans histoires pour Joan. Ses parents vivaient encore et, pendant ses années de première et de terminale, Elaine se trouvait à l'université. Joan et sa petite équipe de quatre copines se livraient à ce que font tout naturellement les adolescents : chiper des cigarettes aux parents pour les fumer en cachette, organiser des boums le soir, boire trop de bière, assister à tous les matchs de foot et de basket qui se jouaient à domicile. L'été, on organisait des fêtes par classe, des sorties à la plage ou ailleurs. Et, l'une après l'autre, elles découvrirent le monde des rendez-vous avec les petits amis.

Au cours de l'été, entre la première et la terminale, ses copines la poussèrent, pour rire, à acheter son premier bikini. Le père d'Emily Mills venait de se faire construire une nouvelle piscine et Emily était bien décidée à faire de sa première fête un succès.

Emily, plutôt rondelette, avait acheté un deux-pièces en vichy bleu et blanc. Lorsque Joan sortit de la cabine d'essayage de chez Lazarus, avec son maillot noir une-pièce, les sifflets et les huées la firent battre en retraite. Emily lui tendit un bikini rouge scandaleusement petit. Joan feignit l'indignation mais secrètement elle était fière des formes nouvelles que son corps accusait depuis l'été précédent. Voilà que soudain elle se retrouvait avec des seins, des hanches rondes, un ventre plat et des jambes minces et fabuleusement longues. Plutôt que de se montrer ainsi à ses amies, elle préféra enlever vivement le deux-pièces et dire à la vendeuse qu'elle le prenait. Ses amies furent surprises de son audace mais heureuses d'en avoir terminé avec leurs courses afin de pouvoir déguster une glace chez Baskin Robbins.

La nuit de la petite fête d'inauguration de la piscine, il faisait tiède, le ciel brillait d'étoiles et il soufflait une de ces brises caressantes que seuls peuvent apprécier les natifs de l'Ohio.

M. et Mme Mills avaient abandonné la maison à Emily. On avait disposé des tables de pique-nique recouvertes de nappes hawaïennes sur lesquelles étaient placés des bouquets de fleurs. On avait empli de compote de fruits deux pastèques évidées et cuit au barbecue côtelettes, hamburgers et poulets. Près de la stéréo, qui hurlait les derniers rock-and-roll, se trouvaient des bassines de glaces et de sodas. Autour de la piscine, on comptait bien soixante-quinze camarades de classe d'Emily et de Joan.

On sait que les gamins de seize ans peuvent se montrer indifférents aux autres et exagérément soucieux d'eux-mêmes.

Lorsque Joan arriva, vêtue d'une veste de plage blanche à œillets, on ne fit aucun commentaire sur sa tenue. Deux heures après le début de la fête, lorsque toutes les autres filles eurent été balancées dans la piscine par un ou plusieurs garçons, elle se rendit compte qu'elle était la seule à avoir conservé des vêtements secs. Pendant un long moment, personne ne sembla s'en soucier mais, bientôt, Joan prit conscience qu'un petit groupe de trois joueurs de l'équipe de foot faisaient des messes basses en lorgnant de son côté.

Emily avertit Joan du complot qui se tramait contre elle et de l'intention bien déterminée des garçons de la balancer à l'eau avec les autres filles.

Ils se séparèrent et commencèrent un mouvement d'encerclement autour de la piscine, chacun prenant un chemin différent, de sorte qu'elle devrait tomber sur l'un d'eux, où qu'elle aille.

Lentement, Joan déboutonna sa veste et la plaça

sur une chaise de jardin. Sans les perdre de vue, elle se dirigea vers le plongeoir. Le temps qu'elle atteigne l'extrémité de la piscine, elle remarqua qu'aucun d'entre eux ne s'approchait d'elle mais que dans la piscine comme sur la piste de danse, tout le monde l'observait. Maintenant, elle ressentait vraiment l'impression que l'on complotait contre elle. Elle s'engagea sur le tremplin et, une fois arrivée au bout, en éprouva l'élasticité puis recula de nouveau. Elle prit son élan, sauta sur le tremplin, bondit en l'air et plongea en un parfait saut carpé.

Refaisant surface, elle nagea jusqu'au bord et ressortit de l'eau. Ses copines la contemplaient, bouche bée. Que diable avait-elle pu faire de mal? Elle n'y comprenait rien.

Alors Alan Jennings éclata d'un rire rauque.

– Quelle crâneuse! hurla-t-il. C'est « Miss Bêcheuse » soi-même. Tu veux impressionner qui?

Et tous les autres garçons de la montrer du doigt.

Joan s'empara de sa serviette et de sa veste et se précipita dans la maison avant qu'on puisse faire la différence, sur son visage, entre l'eau de la piscine et les larmes.

Ce que Joan n'avait pas compris, à cet instant, c'est que l'harmonie de son corps associée à la perfection de son plongeon avaient provoqué chez tous un complexe d'infériorité. Jamais elle ne devait oublier l'incident. Et depuis, lorsqu'elle avait envie d'acheter quelque vêtement un peu provocant elle y renonçait, se souvenant de l'incident de la piscine et de la tristesse ressentie des semaines durant.

Au cours de sa dernière année de lycée, elle trouva bizarre qu'aucun des garçons de sa classe ne l'invite à aller au cinéma comme le faisaient ceux des autres écoles.

Il lui fallut attendre sa deuxième année à l'université de New York pour tomber amoureuse pour la première fois. Il faisait une chaleur torride pour un début de septembre. Joan était contente de ses cours, sauf de celui de littérature du XVIIIᵉ. Elle n'aimait pas l'époque, et puis le prof était un nouveau. Nul ne savait rien de ce M. Stevens.

Comme à son habitude, Joan était assise au premier rang pour mieux se concentrer et s'imaginer seule dans la classe. Lorsque M. Stevens pénétra dans la salle, Joan se félicita d'avoir choisi le premier rang. Là, devant elle, se tenait probablement l'homme le plus séduisant qu'on ait jamais vu en salle de cours depuis James Franciscus.

Grand, blond, les yeux verts, M. Stevens affichait un de ces sourires candides dont elle devina qu'ils devaient servir souvent à embraser les cœurs féminins. Ce jour-là, il était vêtu d'un costume d'été blanc mais, avant la fin du cours, il avait retiré sa veste et sa cravate de soie bleue. A peine trois heures après la fin du cours, Joan, par un intense travail d'investigation, avait découvert que M. (initiale de Michael) Stevens, issu d'une riche famille de Newport, Rhode Island, sortait d'Harvard et était en train d'écrire un roman, acheté par un éditeur sur le seul vu des quatre premiers chapitres et d'un bref résumé. Il donnait cet unique cours par amour du XVIIIᵉ et de ses écrivains.

Dès lors, Joan décida qu'elle méprisait tout ce qui n'était pas du XVIIIᵉ siècle. Au bout du troisième cours, elle découvrit qu'elle avait le plus grand mal à comprendre les phrases, le sens particulier des mots et le style de son professeur. Il fallait absolument qu'elle en parle à M. Stevens.

Auparavant, elle alla se commander des lentilles de contact chez l'opticien, acheta la copie d'une robe de soie originale moulante de Geoffrey Beane, une paire de chaussures Charles Jourdan et se fit appliquer un maquillage de démonstration au rayon d'Estée Lauder de chez Macy. Elle acheta un flacon de Clairol et convainquit Elaine de passer une soirée à lui faire des mèches de soleil à travers un bonnet de plastique.

Une semaine après sa première entrevue avec lui, elle se trouvait assise à la table d'un petit restaurant italien, en face d'un M. Stevens qui témoignait d'un intérêt plus que fugitif pour ses difficultés. Ils convinrent que pour réussir à comprendre le XVIIIe, il lui faudrait beaucoup travailler en dehors des heures de cours.

Joan le retrouvait le samedi à Central Park, au Maxwell's Plum les mercredis soir et au Metropolitan Museum les lundis après-midi. Elle aurait pu l'écouter pendant des heures et peu importait l'ennui que lui inspirait le XVIIIe puisque M. Stevens l'adorait.

Ils se rencontraient depuis plus d'un mois quand, un samedi après-midi, il suggéra de prendre une chambre au Plaza. Bien qu'elle n'eût que dix-neuf ans, jamais il n'était venu à l'esprit du professeur qu'elle pût être vierge et il le lui dit. Joan se sentit soudain aussi tarée qu'une lépreuse mais, ô surprise! il ne se moqua pas d'elle. Au contraire, il la prit dans ses bras et l'embrassa. Elle sut alors qu'il ne s'agissait pas là d'une histoire d'amour banale avec un homme banal.

On leur donna une chambre magnifique, avec sa vieille cheminée de marbre noir où le garçon d'étage alluma un feu de bois. L'or damassé des tentures se mêlait au bleu tendre de la tapisserie et de la moquette. On avait découvert l'immense lit, dévoilant de fins draps en toile d'Irlande et des oreillers bordés de dentelle.

Joan fut surprise qu'on frappe à leur porte, mais pas M. Stevens. Il avait commandé du vin, un cocktail de crevettes, une salade de laitue croquante et un turbot Pontchartrain.

Elle eut du mal à ne pas succomber à tant de romanesque. Le repas terminé, ils prirent place devant le feu dans des fauteuils de brocart, et burent du Courvoisier dans d'énormes verres ballons.

Lorsqu'il lui prit son verre des mains pour le poser sur la table basse et qu'il l'embrassa, Joan pensa naître au contact de ses lèvres. Il la porta jusqu'au lit où il la déposa doucement, sans quitter ses lèvres. Il retira ses vêtements puis la déshabilla sensuellement. Ils étaient étendus là, nus l'un à côté de l'autre, ne se touchant que du bout des doigts. Il l'embrassa une fois, longuement et fougueusement, puis vint sur elle. Sans autre préambule, il la pénétra, ce qui fut douloureux pour Joan bien que la moiteur de son intimité adoucît la violence des coups de reins. Il lui murmurait des mots obscènes et elle détourna la tête. Glissant ses mains sous les hanches de Joan, il l'attira à lui pour une dernière pénétration avant l'orgasme puis s'effondra sur elle, comme une masse.

Levant les yeux sur la pendulette à quartz de la table de nuit, Joan s'aperçut, avec un certain choc, que l'acte d'amour ne prenait guère plus de douze minutes.

Tandis que M. Stevens s'assoupissait dans l'immense lit, Joan se rendit dans la salle de bains carrelée pour laver le sang sur ses jambes. Elle revint à la table où elle termina le turbot Pontchartrain que, trop émue, elle avait à peine touché. Elle finit ce qu'il restait de vin et fouilla les poches de M. Stevens à la recherche d'une cigarette. Elle passait sa combinaison rose lorsqu'il s'éveilla et l'attira sur le lit à côté de lui.

— Tu as été merveilleuse. Je n'imaginais pas un corps aussi excitant sous tes jupes.

Joan tenta de se persuader, au cours des semaines qui suivirent, que rien n'avait changé, mais elle savait que ce n'était pas vrai.

Un jour qu'elle se trouvait assise à une table de la cafétéria du campus, Melanie Hoffman, sa voisine au cours de M. Stevens, vint prendre place à côté d'elle.

— Qu'est-ce qui t'arrive, Melanie? Tu as l'air toute bouleversée...

— Je le suis. C'est affreux!

— Est-ce que je peux faire quelque chose?

— Non. Je voudrais bien.

— Ma foi, si c'est trop personnel...

Melanie hésita.

— Je n'irais pas raconter cela à tout le monde, mais je peux te le dire, à toi. J'ai eu le coup de foudre pour M. Stevens, dès son premier cours. Je sais ce que tu penses, je me suis dit la même chose, mais à quoi bon? Il est tellement séduisant.

— Je ne vois pas... commença Joan, impatiente et envahie d'un vague sentiment de culpabilité.

— J'ai découvert, aujourd'hui, que M. Stevens, l'homme de mes rêves, est marié! J'en suis effondrée!

— Comment le sais-tu? demanda Joan qui ne pouvait en croire ses oreilles.

— Eh bien, sa femme est passée à son bureau et j'étais là pour ramasser ma compo du trimestre. Tu sais, celle que j'ai loupée.

– C'est... c'est une triste nouvelle...

Joan aurait aimé mourir, mais elle fila d'abord aux toilettes pour vomir. Melanie l'y suivit, la morigénant d'avoir avalé un hamburger à neuf heures du matin.

Les idiots n'ont que ce qu'ils méritent, conclut Joan, et elle décida de ne jamais plus en faire partie.

Lorsque Joan eut terminé ses études supérieures, elle n'avait aucun projet d'avenir, à la différence d'Elaine, immédiatement embauchée comme adjointe au directeur des prévisions financières de la société Hewitt. Toute tentative de faire quelque chose provoquait instantanément chez Joan une sorte d'allergie. Ce fut au cours d'une de ses crises qu'elle commença à écrire *Les Ravageurs*. Le roman terminé, Elaine soumit le manuscrit à une de ses amies, agent littéraire. Moins de trois mois plus tard, le roman était vendu à Avon et l'éditeur demandait quand serait achevé le prochain roman.

Pour Joan, la découverte de son talent d'écrivain fut une bénédiction du ciel. Finis, désormais, les entretiens générateurs d'ulcères pour obtenir des emplois que, au fond, elle ne souhaitait pas. Finies les harcelantes remarques d'Elaine sur sa manière de s'habiller (pas assez de pantalons moulants et de vêtements sexy) et ses réprimandes parce que Joan fixait le sol au lieu de regarder les gens dans les yeux. Maintenant qu'elle devait respecter des délais, se livrer à des recherches, bâtir des intrigues, il devenait inutile de chercher des excuses lorsque Elaine tentait de la secouer pour qu'elle parte en week-end.

Bientôt, Elaine rencontra un homme séduisant et sympathique qui lui tourna la tête. Quatre mois plus tard, Elaine appelait de Las Vegas à deux heures du matin pour annoncer à sa sœur qu'elle s'était laissé enlever. Joan fut ravie, considérant qu'il n'était que temps qu'un beau mâle américain rende hommage à sa merveilleuse sœur.

Maintenant, Joan disposait de l'appartement pour elle toute seule, écrivant toute la nuit et dormant le jour, sans déranger quiconque. Elle tenta de ne prêter aucune attention à la petite voix qui, en elle, lui rappelait sa solitude.

Joan lança un dernier coup d'œil aux amoureux dans la rue avant de se remettre à sa machine à écrire. Avec une vigueur renouvelée, ses doigts volèrent sur le clavier :

« Angelina et sa monture se fondirent en un seul être tandis qu'elle s'enfonçait au galop sous les arbres. Elle jeta un coup d'œil par-dessus son épaule.

» Je savais bien que Jesse ne me décevrait jamais. L'homme que j'aime, le seul homme en qui je puisse avoir confiance. Et nous passerons le reste de notre vie... ensemble. »

Joan ramena en arrière le chariot de sa machine et souligna le mot ensemble. Avec un sourire satisfait, elle s'adossa à son fauteuil. Parfait !

Le lendemain matin, Joan était pressée. Son réveil n'avait pas sonné et, plutôt que d'admettre qu'elle ne l'avait pas remonté, elle se dit qu'il lui faudrait passer chez Macy pour en acheter un autre.

En se dirigeant vers l'ascenseur, elle jeta un coup d'œil rapide à son image dans le miroir du couloir. Ses cheveux bruns séparés par une raie au milieu et retenus sur la nuque par une barrette en écaille, elle portait – comme toujours – une jupe droite dont l'impeccable ourlet, parfaitement rectiligne, lui avait valu des heures d'efforts. Elle avait revêtu un sweater marron assorti et dont le décolleté en V dégageait le col d'un chemisier rouille. Elle portait d'élégantes chaussures italiennes en cuir fauve, sa seule concession au luxe. Nette et stricte, elle n'avait vraiment rien des fantasques héroïnes de ses romans.

Une fois dans l'ascenseur, elle appuya sur le bouton du rez-de-chaussée et regarda les portes se fermer. Presque. Surprise, Joan vit une main se glisser entre les portes et en forcer l'ouverture. Elle porta la main à sa poitrine, son imagination battant aussitôt la campagne. Etait-ce un cambrioleur poursuivi par la police? Un obsédé sexuel à la recherche d'une victime?

Non, c'était un voisin, Andrew, l'agent de change, en costume trois-pièces de chez Brooks Brothers, chemise blanche et cravate à rayures. Des cheveux à la coupe impeccable jusqu'aux ongles soigneusement manucurés, tout en lui exprimait la plus parfaite honorabilité.

– Euh...

– Il n'y a pas de mal, dit-elle, consciente que cette rencontre fortuite le plongeait dans l'embarras, lui aussi.

– Joan, euh, voyez-vous...

– Je vous en prie...

– Je suis désolé.

– Mais non, vraiment.

– J'aurais dû appeler. Je... mon patron m'a embarqué dans une... euh...

Elle trouva enfin le courage de le regarder en face :

– Ce n'est rien, vraiment, il y a pire... Enfin, je veux dire... Seigneur!

Fort opportunément, les portes s'ouvrirent, mettant fin à son embarras.

– Réellement, c'est sans importance. L'incident est oublié, ajouta-t-elle en mentant sans vergogne.

Elle se mit à marcher si vite qu'elle faillit trébucher. Au diable! Qu'est-ce qu'il lui prenait de se sentir dans tous ses états à cause d'un pareil ringard? Du trottoir, elle tenta de héler un taxi qui passait et qui s'arrêta quelques mètres plus loin pour charger une ravissante blonde. Joan fronça les sourcils. Un peu plus haut dans la rue, elle aperçut un groupe de punks qui se passaient un joint autour d'un lampadaire. Elle préféra traverser, et poursuivit son chemin en hâtant le pas.

Après deux nouveaux échecs, elle réussit à trouver une voiture. En s'arrêtant devant la librairie, elle remarqua l'affiche haute en couleur qui annonçait la sortie de son dernier livre, *Le Retour d'Angelina*. Et, à l'angle de l'affiche, un bandeau : « Joan Wilder dédicacera son livre aujourd'hui ».

Deux collaborateurs d'Avon l'attendaient sur le pas de la porte. Richard, son éditeur, et Carolyn, la mignonne éditrice adjointe. L'un et l'autre avaient la mine soucieuse. Carolyn se précipita vers le taxi, ouvrant la porte à Joan.

– Joan, dépêchez-vous, vous êtes en retard. Les gens attendent!

– Je vous en prie, Carolyn, je suis assez nerveuse comme cela. Vous savez que je déteste ces séances. Je n'aurai pas à parler, n'est-ce pas?

– Bien sûr que non! répondit Carolyn, exaspérée. Il s'agit d'une séance de signatures.

Elle leva les yeux au ciel, prit Joan par le bras et la traîna presque jusqu'à la porte.

– Allons, venez! Il s'agit de leur faire du charme, c'est tout.

L'instinct naturel de Joan la poussait à résister et cette fois elle y céda. Elle se dégagea vivement, manquant de faire glisser Carolyn sur le verglas. La jeune femme ne dut son salut qu'aux semelles de caoutchouc de ses bottillons de chevreau.

– Je n'ai rien, vraiment rien à dire, déclara énergiquement Joan.

– Joan, c'est Angelina qui intéresse tous ces gens, pas vous.

– Tous ces gens? Quels gens? Vous avez dit qu'il s'agissait d'une simple séance de signatures.

– Pour l'amour de Dieu, Joan! Il est dix heures du matin, un jour de semaine. Combien de personnes croyez-vous trouver?

Bien décidée à ne pas laisser sa pusillanime romancière ruiner ses laborieux efforts, elle poussa Joan dans la librairie sans lui laisser le loisir de protester davantage.

Joan sentit son estomac se nouer. Une estimation approximative la convainquit que quelque huit millions de ménagères avaient réussi à s'entasser dans le magasin.

Les plages du Cape Cod, les dimanches soir d'été, devaient ressembler à peu près à cela, songea Joan en fin de journée en contemplant les allées jonchées de papiers. Comment le seul fait d'apposer sa signature sur des livres pouvait-il épuiser ainsi l'énergie d'une jeune femme normale et en bonne santé? Son estomac protestait contre ce jeûne de quelque dix heures. Elle ouvrirait une boîte de soupe à la tomate, cela lui éviterait de mâcher.

Il ne restait plus qu'une seule cliente, mais elle tenait le bras de Joan d'une poigne digne d'Arnold Schwartzenegger, le héros de *Conan le Barbare*.

– Vraiment, vous êtes ma romancière favorite! Et

Angelina le personnage que je préfère. Je l'adore, tout simplement! Vos livres m'ont sauvé la vie!

– Eh bien, j'en suis heureuse... Vraiment?

– Oh, vous ne pouvez pas savoir... Vraiment, vous ne pouvez pas savoir.

Joan aurait bien aimé savoir, précisément. Elle leva la tête mais déjà la femme se détournait. Elle s'éloigna hâtivement sans rien ajouter.

Joan se leva et s'approcha de Richard qui, méticuleusement, rangeait son porte-documents.

– Je crois que vous les avez charmés, dit-il avec un sourire.

– En bégayant et en contemplant le bout de mes chaussures?

– Ma chère, les lecteurs adorent la timidité des grands écrivains.

– Oh, Richard, si *Le Retour d'Angelina* est de la grande littérature, le monde court un immense péril.

– Un demi-million d'exemplaires vendus, voyons! Et vous dites toujours la même chose après avoir terminé un nouveau livre... notamment lorsqu'il est tard.

– Ecoutez, Richard, dit Joan avec un sourire triste, je crois que je suis un peu déprimée. On pourrait peut-être en parler pendant le dîner, ce soir?

Inutile d'attendre sa réponse pour savoir ce qu'il allait dire. On aurait pu lire, à dix mètres, la culpabilité sur son visage.

– Oh, Joan, je suis désolé. J'ai oublié que j'avais un rendez-vous et...

– Oui, oui, bien sûr, ne vous inquiétez pas. Aucune importance.

– La semaine prochaine. Juré, affirma-t-il en bouclant son porte-documents. Et bonne soirée!

– Merci, Richard, merci, répondit-elle tandis qu'il s'éloignait d'un pas décidé.

Elle jeta un regard sur le véritable chantier où il l'avait abandonnée puis aperçut Carolyn qui se frayait un chemin jusqu'à elle. Elle tenait à la main deux tasses propres qu'elle avait réussi par miracle à découvrir dans le fouillis qui les entourait.

– Joan, pourquoi accepter ce genre de type? Vous valez bien mieux que ça.

– Ah oui? Et dans quelle autre existence? (Elle ajouta après un instant, toujours incrédule :) Une femme vient juste de me dire que mes livres lui avaient sauvé la vie.

– Ma foi, où trouver ailleurs des hommes qui tiennent parole, des femmes qui gardent la leur et un amour brûlant de bout en bout? Nous avons tous besoin de nos fantasmes, n'est-ce pas? (Carolyn tendit une tasse à Joan :) Et de notre vodka.

Joan, affichant un sourire sinistre, ne releva pas la plaisanterie.

Aussitôt, Carolyn regretta sa désinvolture.

– Je sais combien cela a été dur, Joan. Votre sœur... (Elle hésita un instant puis reprit :) A-t-on retrouvé le corps de son mari?

– Non. Seulement un... un morceau.

– Mon Dieu, dit Carolyn en hochant la tête. Elle tient le coup?

– Elaine... a toujours été la dure de la famille. Elaine s'en tire toujours, répondit Joan, prenant conscience qu'elle-même serait incapable d'affronter une telle situation.

2

Une mer turquoise, crêtée de blanc, déferlait sur le sable de la côte colombienne. De lourds nuages filaient dans le ciel, en direction des montagnes. Les palmiers se balançaient sous une douce brise. Sur cette vision de carte postale, elle ferma les volets blancs. Elle glissa ses longues jambes minces dans une paire de jeans signés Cardin et enfila un chemisier de soie rouge à manches longues qu'elle continua à boutonner tout en retournant à sa valise. Elle y entassa des affaires, un peu au hasard. De ses doigts nerveux, elle tripota la serrure qui finit par obéir.

Lorsqu'elle saisit la valise pour quitter la pièce, la serrure céda et le contenu se répandit sur le parquet. Sur la pile de vêtements, apparut la photo de deux jeunes filles, l'une souriante et l'autre en retrait, timide et gênée.

Elaine se demanda un instant si elle pourrait encore jamais sourire ainsi et glissa la photo dans la valise. Avec un coup d'œil rapide dans le miroir, elle noua un foulard de mousseline noire sur sa tête et en glissa les pointes dans le col de son chemisier. Ses yeux étaient rouges et gonflés d'avoir pleuré. Elle les dissimula derrière des lunettes de soleil.

Elles ne masquaient pas cependant le pli dur qui marquait son front. La tristesse se lisait sur ses lèvres crispées.

Elle quitta la pièce et se dirigea vers le garage.

Fort heureusement, elle avait laissé les clés de la Cobra à l'intérieur et ne perdit pas de temps pour sortir du garage. En descendant les lacets du sentier abrupt qui menait à la grille, elle ne jeta qu'un coup d'œil dans le rétroviseur à la villa qui, majestueuse, se dressait au sommet de la colline. Côté façade, autour des pelouses bien tondues, les rouges et les jaunes des plantes tropicales flamboyaient; des plates-bandes de fleurs entouraient la piscine et, derrière la vaste maison blanche, la jungle montagneuse et primitive se déployait.

Elaine pila avec la Cobra et sauta de la voiture, laissant la portière ouverte tandis qu'elle refermait les lourdes grilles en fer. Non loin des grilles, elle remarqua des enfants qui jouaient. Un jeune garçon aux grands yeux noirs tristes faisait tourner un bola près d'une fontaine.

Tout en refermant la grille à clé, Elaine lançait des regards anxieux autour d'elle. Elle regagna en hâte la Cobra et, à l'instant où elle posait un pied à l'intérieur de la voiture, le garçon près de la fontaine lança son bola. Celui-ci s'enroula autour du cou d'Elaine et l'une des boules la frappa à la tempe. Elle s'écroula, inconsciente, dans la voiture.

Traversant la rue en courant, le gamin se précipita, repoussa Elaine sur le siège du passager et se glissa derrière le volant. Il embraya et démarra en trombe. Les enfants, occupés à leurs jeux, ne levèrent pas la tête.

La Cobra rouge s'engouffra à vive allure dans les rues étroites de Cartagena, évitant marchands et colporteurs, dépassant le marché en plein air. Les pneus de la Cobra projetaient des gravillons et du sable tandis que le gamin enchaînait ses virages, l'un après l'autre. Au bas d'une côte abrupte, il réussit, grâce à une habile manœuvre, à ne pas percuter une camionnette Ford 1953 mal rangée. La Cobra atteignit enfin la route qui bordait l'océan. Après un dernier virage sur les chapeaux de roues, elle fonça en direction du port.

Y voisinaient yachts somptueux, voiliers aux lignes pures et bateaux de pêche rongés par l'âge et les intempéries. A l'extrémité du port, là où le fleuve se mêlait à la mer, un vieux fort délabré montait la garde. A côté du fort mouillait un cargo vétuste. Son équipage, accoudé au bastingage rouillé, attendait visiblement l'arrivée de la Cobra : des visages burinés, des yeux qui semblaient avoir tout vu. Lorsque la voiture s'arrêta, Elaine gisait toujours inconsciente.

— Le gosse est là, avec la nana, dit Ralph à son cousin Ira.

Ira, indifférent à la Cobra et à la femme évanouie, continua de lancer des entrailles de poulets par-dessus un muret, en direction d'une mare infestée de crocodiles qui auraient sans doute préféré happer le bras qui les nourrissait plutôt que les maigres babioles qu'on leur jetait.

— Vise un peu ces bestioles, dit Ira, fasciné par les immenses mâchoires et la dextérité avec laquelle se mouvaient d'aussi lourdes bêtes.

Ralph, exaspéré, rejoignit Ira. A des lieues à la ronde, c'était toujours sur ses pieds à lui qu'on se permettait de marcher. Et puis, à ses yeux, les crocodiles et les femmes inconscientes ne présageaient rien de bon.

— Ira, tout ça me rend nerveux. Je blague pas.

C'est rien que des emmerdes. L'idée vaut pas un clou.

– Ouah! Tu as vu ça? Vise un peu, Ralph, tu vois ce vilain fils de pute rayé, là. Tu le vois?

Ira, son tas d'entrailles finalement épuisé, s'essuya les mains sur son pantalon et se dirigea vers le cargo. Comme toujours, Ralph suivit, de sa démarche sautillante et mal assurée.

Lorsque Elaine reprit enfin conscience, elle avait une grosse bosse à la tempe et la tête lui battait douloureusement. Il lui fallut longtemps, lui sembla-t-il, pour distinguer clairement ce qui l'entourait. Elle se trouvait assise dans un immense fauteuil de cuir, au milieu d'une somptueuse cabine. Derrière un bureau rococo de laque noire brillante, se dressait une vitrine éclairée, aux étagères chargées d'objets d'art précieux. De l'autre côté de la pièce couraient de larges banquettes recouvertes de soie sauvage. Au plafond, entouré de corniches de bronze, pendait un lustre de cristal.

Elaine entendit un bruit de déchirure. Un homme courtaud, vêtu d'un pantalon déchiré et d'un tricot sale à manches courtes, mettait sa valise au pillage. Elle le vit soulever une combinaison en soie de chez Pucci et un négligé en mousseline abricot et les contempler d'un œil lubrique. Il trouva une pochette de satin crème et se mit à la fouiller de ses doigts boudinés. Elle en eut l'estomac retourné rien qu'à le regarder. Effrayée, elle le vit empocher une petite liasse de billets colombiens.

– Qu'est-ce que... qu'est-ce que vous faites? demanda-t-elle tandis qu'elle ressentait une nouvelle douleur à la tempe.

Ira contourna le fauteuil et vint se planter devant

elle. Ralph, qui en avait terminé avec l'inspection de la valise, regarda Ira.

– Elle est pas là.

– Quoi? Qu'est-ce que vous cherchez? demanda Elaine.

Ira se pencha sur elle. Son haleine était chargée et elle grimaça de dégoût.

– Je comprends que c'est pour vous un moment pénible. Je serais content que vous me donniez la carte, sans faire d'histoires.

– Quelle carte?

– La carte acquise par votre mari avant sa disparition prématurée. Si vous croyez que je vais me laisser posséder par la veuve d'un antiquailleur...

– Mon mari était libraire! protesta-t-elle.

Les poings d'Ira se crispèrent et Elaine devina qu'il pourrait très facilement se laisser aller à lui cogner dessus.

– Désolé de vous l'apprendre, mon chou, mais votre mari – qu'il repose en paix – était un trafiquant. Et moi je sortais sa came du pays. C'est donc nous ses héritiers, pas vous. Vous pigez?

– Vous l'avez tué!

– Non, et pourtant j'avais pas mal de raisons de le faire. Vous ne savez pas qui je suis et c'est très bien. Vous ne saviez même pas ce que faisait votre mari et c'est pour cela que nous avons cette petite conversation.

Elaine le regarda, incrédule. Elle sursauta en entendant le cri de douleur de l'homme qui s'intéressait à sa valise. Apparemment, il s'était blessé avec les ciseaux. Son regard revint à l'homme débraillé penché sur elle.

– Eduardo était un archéologue renommé, dit-elle, rassemblant toutes ses forces pour le défier.

Au mot « archéologue », ses ravisseurs éclatèrent d'un rire postillonnant.

– A la façon dont il vivait...? Non, c'était un trafiquant jusqu'à ce qu'un jour il tombe sur un certain document : une carte. Il l'a eue entre les mains, et puis, peu après, il a été débité en morceaux.

– Et vous pensez que c'est moi qui l'ai?

– Non, c'est lui qui croit que vous l'avez. Mais je sais ce qui s'est passé. Eduardo l'a expédiée hors du pays. Et il a été assez idiot pour dire où à quelqu'un. Il est mort. De la pâtée de chien. Maint'nant, tout ce que vous avez à me dire, c'est où il l'a envoyée. Pas vrai, Ralph?

Tandis qu'Elaine essayait de comprendre, l'homme, toujours penché sur elle, arracha soudain les ciseaux des mains de Ralph. Il saisit une boucle des cheveux d'Elaine et fit mine de la couper.

Elle se libéra d'une secousse, complètement déconcertée par ce geste.

– Non... Je vous en prie... Non...

Ralph indiqua le crâne chauve de son compagnon.

– Alors? Vous voulez pas ressembler à Ira?

– Maintenant, dit Ira, tout ce que vous avez à faire c'est de nous dire où vous l'avez envoyée, ma petite dame, pour que j'arrive le premier. Vous nous le dites, s'il vous plaît? Comme ça, personne d'autre ne finira à un croc de boucher.

La résolution d'Elaine céda lorsque, de nouveau, il saisit ses cheveux.

– Je sais qu'il a envoyé quelque chose à ma sœur.

– Tu entends ça, Ralph? Sa sœur!

– Numéro de téléphone?

Elaine articula le numéro de Joan et se fit horreur.

3

Le vent mugissait au-dehors et Joan décida
d'abandonner quelques instants les exploits d'Angelina et de faire un feu dans la cheminée. Comme
elle avait oublié d'ouvrir le clapet du tuyau, il lui
fallut un certain temps pour débarrasser l'appartement de la fumée. Elle plaça un duo romantique sur
la stéréo et se mit à fredonner tandis que la
musique d'opéra emplissait la pièce.

Elle arrangea joliment sa petite table de chêne,
plaçant un poinsettia encore en fleur – cadeau de
Noël de son éditeur – au centre de la table. Elle
l'encadra de chandeliers en cristal et de longues
bougies blanches. Sur le napperon de dentelle
ancienne qui avait appartenu à sa mère, elle disposa
une assiette de porcelaine bleu cobalt cerclée d'or
et un verre à pied en baccarat, tandis qu'une
serviette de fin linon complétait le tableau. Elle
contempla avec satisfaction sa petite mise en
scène.

Elle alla chercher son repas dans la cuisine. Au
centre de l'assiette, elle disposa un Big Mac passa-
blement refroidi et elle vidait la grosse barquette de
frites quand le téléphone sonna. Elle se sentit un
instant gênée, consciente que le téléphone l'avait

surprise à un instant où elle manifestait par trop son naturel.

Elle baissa le son de la stéréo et répondit :

— Allô?

— Joan? Joannie? demanda la voix lointaine d'Elaine.

— Elaine! Chérie, tu vas bien?

— Joan, écoute-moi.

— Qu'est-ce qu'il y a, Elaine? Est-ce que je peux t'aider?

— Joan, écoute-moi, je t'en prie. As-tu reçu du courrier... de moi ou d'Eduardo?

Joan ouvrit le tiroir et en retira une pile de lettres retenues par un élastique.

— Ah, oui. J'ai quelque chose. Je l'ai là, sous la main.

— Y a-t-il... Je ne sais pas... une enveloppe... une grande enveloppe?

— Oui, en effet.

— Ouvre-la, je t'en prie.

— Elaine, qu'est-ce qui se passe? demanda Joan en ouvrant l'enveloppe.

— Joan, y a-t-il une carte à l'intérieur?

Joan découvrit une pochette de plastique transparent contenant deux morceaux de carte qui s'effritaient, collés par du ruban adhésif. Une carte bizarre, pensa-t-elle, avec ses dessins et ses griffonnages.

— Oui, Elaine. Il y a marqué : *El... Corazón?*

Elaine parut soulagée par la nouvelle. Joan était plus intriguée que jamais.

— Maintenant, Joan, écoute-moi. Il faut que tu me l'apportes. Il faut que tu apportes cette carte en Colombie.

— Elaine! Pour l'amour de Dieu...

— Oui. Il y a là des hommes qui veulent cette

carte. Si tu ne viens pas, ils vont me tuer. Joannie, tu comprends?

– Elaine, mon Dieu?

– Ne dis rien à la police, ne dis rien à personne. Viens avec la carte, Joan, et tout se passera bien.

Joan avait les larmes aux yeux, ses mains tremblaient si fort qu'elle pouvait à peine maintenir le téléphone contre son oreille.

– Elaîne, je t'en prie.

– On t'a retenu une chambre à l'hôtel Emporio, à Cartagena. Prends note, Joan. Hôtel Emporio. Dès que tu y seras, on te passera le numéro suivant : 64.58.24. Tu notes?

Joan fouillait dans son tiroir à la recherche d'un stylo – un écrivain sans plume! Des rubans de machine, des papiers correcteurs, mais ni stylo ni crayon. Elle commençait à paniquer. Finalement, tout au fond, sous des timbres, elle trouva un crayon. Elle griffonna le nom de l'hôtel et le numéro de téléphone sur la page de garde de son dernier livre.

– Tu as un passeport, n'est-ce pas?

– Mais je ne m'en suis jamais servi, Elaine. Tu te rends compte de ce que tu me demandes? Je ne peux aller en Colombie toute seule. Et puis tu sais bien que je déteste l'avion!

– Si je pouvais faire autrement, jamais je ne...

La voix d'Elaine se brisa et Joan distingua à peine ses paroles, à travers les sanglots.

– Joan, ils vont me faire du mal. Ils vont me faire du mal.

– Je viens, Elaine, dit Joan, mais on avait coupé.

Joan raccrocha, transie de peur. C'était un cauchemar! Impossible que cela leur arrive vraiment, à elle... à Elaine. Elle se rendit dans la chambre pour faire ses bagages, jetant des affaires au hasard dans la valise Pierre Cardin qu'elle avait achetée par correspondance. En temps normal, elle aurait passé des jours à s'organiser, à faire méticuleusement ses bagages, mais il ne s'agissait pas là d'un voyage ordinaire. C'était une mission de sauvetage, l'unique chance d'Elaine. Sa vie dépendait de Joan... et de la carte.

Le verrou de l'appartement de Joan glissa doucement et la poignée tourna lentement vers la droite. Une main gantée de noir se glissa par l'entrebâillement et, à l'aide d'une pince, sectionna la chaîne de sécurité. Tandis que la porte s'écartait, la main gantée de noir ouvrit un stylet qui lança un éclair d'argent à la lueur de la lune. Un homme pénétra à l'intérieur et étouffa une toux sèche.

Il portait des lunettes de soleil d'aviateur qui dissimulaient son regard, mais ses lèvres minces avaient une expression cruelle et impitoyable. Dans son visage maigre, des pommettes hautes et marquées semblaient presque jaillir de la peau. A pas de loup, il avança dans l'obscurité de l'entrée.

Sans bruit, il ouvrit la porte de la chambre. La lumière venue de la fenêtre révéla un lit vide. L'homme replia son stylet, le glissa dans la poche de son pardessus et alluma la lumière. Il se dirigea vers le bureau de merisier et mit sens dessus dessous les tiroirs. Lorsqu'il ouvrit la penderie, il constata que, manifestement, des vêtements manquaient.

Sur le sol, il aperçut un carton plein de livres avec, sur toutes les couvertures, la photo de Joan Wilder. Sur l'autre table de nuit, un téléphone et un bloc-notes.

Il le prit et déchiffra : Cartagena, vol Pan Am 82, départ 9 h 45.

La plupart des passagers sommeillant, on avait mis les lumières en veilleuse. Joan Wilder, elle, ne dormait pas. Sur le plateau, devant elle, cinq petites bouteilles d'alcool : deux de whisky et trois de rhum. A chaque verre, elle avait nerveusement mis en charpie les petites nappes en papier. Elle chipota dans la coupelle de cacahuètes, se demandant si elles apaiseraient son estomac nauséeux. Elle préféra ouvrir le sac prévu pour le mal de l'air. Pour s'occuper l'esprit, elle tenta de se mettre en tête les issues de secours indiquées sur la fiche de sécurité.

Le commandant de bord s'adressa aux passagers :

— Mesdames et messieurs, nous venons d'être avisés de la fermeture temporaire de l'aéroport de Cartagena. En conséquence, nous atterrirons à Barranquilla. Toutes dispositions seront prises pour acheminer par voie terrestre les passagers de Cartagena. Nous vous prions de nous excuser de ce contretemps.

Joan était encore sous le coup de cette fâcheuse nouvelle lorsqu'une hôtesse, en se penchant vers elle, la fit sursauter.

— Ça va mieux ? Voulez-vous une autre Dramamine ?

— Non, non merci. Mais pourquoi cet aéroport est-il...

— On est en Colombie. C'est courant.

En se dirigeant vers l'arrière du 747, l'hôtesse passa devant le siège du seul passager qui ne dormait pas. La fumée de son cigarillo s'élevait dans le rai de lumière de sa lampe de lecture. Il observait Joan Wilder avec un vif intérêt.

Joan fouillait dans son sac à la recherche de pastilles de menthe, de chewing-gum – n'importe quoi – pour calmer sa nervosité. Elle sortit un instant la carte pour mieux ranger son portefeuille. Elle rafraîchit son rouge à lèvres et se rendit compte qu'il ne restait pas grand-chose de son maquillage. Elle referma son poudrier et le replaça dans son sac. Elle allait ranger la carte quand soudain, par curiosité, elle l'ouvrit pour l'examiner.

Joan ignorait qu'à quatre rangées de fauteuils derrière elle, l'homme au cigarillo l'observait. Elle ne le vit pas, non plus, baisser ses lunettes de soleil d'aviateur.

4

La gare terminale des bus de Barranquilla lui parut un enfer de bruit et de confusion. Après avoir passé deux heures à faire la queue en pleine nuit pour pouvoir retirer ses valises, Joan ne souhaitait rien d'autre qu'un bain chaud et un lit confortable. Au lieu de quoi, elle se trouva entraînée dans un tourbillon d'Indiens chargés de volailles, de bébés qui braillaient, de ballots et autres bagages improvisés.

Dans cette bousculade, elle ne remarqua pas le grand Colombien aux lunettes d'aviateur qui la suivait. Il s'arrêta près d'un soldat en uniforme et exhiba un insigne. Le soldat se figea et salua.

– Pardon, Zolo, dit-il.

Zolo emprunta le pistolet de l'homme et continua à suivre Joan qui, tant bien que mal, se frayait un chemin dans la foule.

A l'extrémité du passage pour piétons, des bus à l'aspect délabré attendaient les passagers. Ne voyant aucune pancarte qui portât le nom de Cartagena, Joan arrêta un employé qui passait.

– Excusez-moi...

Il poursuivit son chemin sans même un regard. Un homme, occupé à charger tous les bagages, saisit la valise de Joan et la tendit à un autre homme. Il s'apprêtait à la hisser sur le toit du bus le plus proche.

– Une minute... *momento*. Cartagena?

– *Vámonos*, *Vámonos*, dit l'homme, trop occupé pour l'écouter.

– Est-ce le bus pour Carta...

C'est alors qu'un homme de haute taille, un Colombien, s'empara de la valise de Joan et la passa au bagagiste.

– *Si*, Cartagena, dit Zolo.

Au bout de l'allée, une vieille Renault décapotable heurta le trottoir. La porte s'ouvrit et Ralph en descendit, scruta un instant la foule puis saisit le bras d'un employé.

– Est-ce que le vol New York – Cartagena, celui qui a été dérouté, est déjà arrivé?

Avant que l'employé lui réponde, Ralph avait repéré Joan qui disparaissait à l'intérieur du bus. Il jeta un regard à la photo de la jeune femme sur la jaquette d'un livre qu'il tenait à la main, abandonna l'employé et se fraya un chemin jusqu'au bus.

Joan choisit une place côté fenêtre, pensant pouvoir échapper plus facilement aux odeurs fortes qui montaient déjà. Elle pourrait au moins pencher la tête à l'extérieur. Son sac à bandoulière serré contre elle, elle jeta un regard sur ce qui l'entourait. A cet instant, un volumineux Indien se laissa tomber sur le siège à côté d'elle. Elle eut encore la force de remarquer que le grand Colombien qui l'avait aidée était assis au fond du bus et fumait paisiblement un cigarillo.

Dans un bruit de boîte de vitesses maltraitée, le

bus bondit en avant, projetant plusieurs passagers hors de leurs sièges.

La route, parsemée de nids-de-poule et mal entretenue, faisait tanguer le véhicule. Cependant ni les cahots ni les caquètements des poulets n'empêchèrent Joan de sombrer dans le sommeil. Elle dormait depuis quelque cinq minutes lorsque le bus arriva à un croisement, tourna et s'engagea dans la direction opposée à celle du panneau indiquant Cartagena.

Quelques minutes plus tard, la Renault décapotable apparaissait au croisement et prenait la même direction. Malgré l'accélérateur au plancher, la Renault de Ralph perdait du terrain. Il tenta de balancer son corps en avant pour faire prendre de la vitesse à la voiture, mais sans résultat. Il vit diminuer puis disparaître dans l'obscurité les feux arrière de l'autobus.

Les rayons pourpres de l'aube glissaient sur les pentes des abruptes montagnes colombiennes, polissant de chaleur et de lumière l'immensité sauvage et vierge. Des oiseaux aux couleurs vives lançaient leur rituel et cacophonique salut au jour nouveau. Des fleurs éclatantes s'ouvraient, distrayant un instant les passagers du bus qui grimpait l'étroite route de montagne.

– *Excusa*... euh... Cartagena? demanda Joan en poussant du coude son voisin encore un peu sonné par sa mauvaise nuit.

– *Donde esta*? demanda-t-elle de nouveau en montrant, par la fenêtre, les escarpements.

– Cartagena?

– *Si*, Cartagena, dit Joan pensant qu'il s'agissait de sa part d'une confirmation.

Se détournant, elle ne le vit pas hausser les épaules en signe d'incompréhension.

Après une pause, les portes se refermèrent, la boîte de vitesses fit entendre ses gémissements coutumiers et le bus repartit. Sur la route qui grimpait sec, le moteur peinait. Le bus atteignit enfin le sommet et prit de la vitesse dans la descente.

Finalement peu rassurée par la réponse de son voisin, Joan décida de questionner la seule autorité du bord, le chauffeur. Non sans mal, elle se glissa dans le couloir, enjambant des enfants endormis et des ballots. Dans la descente et à cause du terrain accidenté, elle dut s'agripper à une barre.

– Excusez-moi de vous déranger, dit-elle au chauffeur, s'accrochant au dossier de son siège.

Il jeta un coup d'œil par-dessus son épaule, apparemment mécontent d'avoir à quitter la route des yeux.

– *Qué*? demanda-t-il.

– A quelle heure arrivons-nous à Cartagena? Euh... *qué hora*...

– Cartagena?

– Oui, *si*... Suis-je dans le bon bus? demanda-t-elle tandis qu'ils abordaient un virage en épingle.

Le chauffeur le prit un tantinet trop vite au gré de Joan, évitant de peu le précipice, sur la droite.

– Cartagena *no es*... commença le chauffeur, reportant son attention sur la route.

– Bon Dieu! cria Joan.

Arrêtée en plein milieu de la route se trouvait une Land Rover! Le chauffeur freina à mort mais il lui fut impossible d'éviter la collision. Le bus et la Land Rover se heurtèrent dans un horrible fracas de tôles.

Une nuée d'oiseaux multicolores s'éleva de l'amas de ferraille.

Joan se retrouva allongée de tout son long dans le couloir. Lentement elle se releva, se demandant combien de fractures elle pouvait compter. Aucune, apparemment. Elle contempla le chaos qui régnait autour d'elle.

Choqués, ahuris, passagers et chauffeur descendirent du bus. Le chauffeur alla évaluer les dégâts : tout l'avant enfoncé, le moteur qui fumait et trois des quatre pneus crevés. Il leva les bras en signe de désespoir. Puis il fit le tour de la Land Rover, suivi par les Indiens. Où le propriétaire de la voiture avait-il bien pu passer ?

Joan, une main au-dessus des yeux, scruta le terrain et la route devant elle. En vain. Soudain, le radiateur du bus éclata dans un nuage de vapeur.

— *Terminar ! Terminar !* brailla le chauffeur, frustré et furieux, en donnant un coup de pied au bus.

Joan brossa de la main la poussière qui recouvrait son tailleur gris acheté à peine un mois plus tôt chez Bergdorf Goodman. Quel voyage !

Les Indiens, ramassant bagages, poulets et enfants, reprirent la route en sens inverse. Il apparut clairement à Joan que c'était là, pour eux, un incident banal. Résolument, elle alla récupérer sa valise, décidée à se joindre aux autres.

— Inutile de marcher, dit Zolo. Un autre bus va arriver.

Joan se retourna. Il fumait calmement son cigarillo et ne paraissait guère ému par l'incident.

— Ils ne savent rien. Ce sont des paysans, dit-il en désignant les autres d'un léger mouvement du menton.

— Un autre bus ? Vraiment ?

— Bien sûr. Il y a des horaires à respecter, même

en Colombie, répondit-il avec un sourire qu'elle jugea bizarre et plutôt inquiétant.

Joan posa sa valise à terre et s'assit dessus. Elle se pencha, le menton dans la main, espérant qu'elle n'aurait pas trop longtemps à attendre.

Zolo l'observait, tout en fumant son cigarillo.

Quelques instants plus tard, levant les yeux, Joan vit la dernière Indienne disparaître dans le virage de la route. Soudain tout fut très calme dans la jungle. D'un calme de mort, songea-t-elle.

Elle entendit une toux sèche et leva les yeux... sur le canon de l'arme de Zolo! Elle se mit lentement debout, reculant d'un pas.

– Qu'est-ce que c'est... commença-t-elle.

Il avança vers elle :

– Le sac!

Par-dessus son épaule, sur la droite, Joan crut voir bouger quelque chose.

Là, se détachant dans la lumière du matin, se tenait un homme. Joan remarqua sa manière particulière de porter son chapeau. Jesse? Non, ça, c'était dans ses romans. De la fiction! Deux fois elle ferma et rouvrit les yeux mais il était toujours là, avançant vers elle. Elle remarqua qu'il portait une outre gonflée d'eau. Il existait vraiment.

Zolo fit demi-tour et tira, sa balle faisant éclater l'outre mais ratant l'homme. En un éclair, l'étranger fit glisser de son épaule une Winchester calibre 12 et ouvrit le feu.

Joan, en un réflexe, plongea sous le véhicule. Zolo sauta dans le bus tout en continuant à tirer sur l'étranger.

Joan pouvait entendre les pas rapides du Colombien qui se dirigeait vers l'arrière du bus. L'étranger approchait toujours, tirant cartouche sur cartouche dans les vitres. Le bruit des coups de feu se répercutait en écho à travers les montagnes, dans un horrible vacarme. Joan se boucha les oreilles et se mit à prier.

Des débris de vitres pleuvaient autour d'elle. Joan recula puis se roula en boule. Le bus tanguait et elle craignit qu'il ne s'effondre sur elle. La porte arrière s'ouvrit enfin et Zolo atterrit dans un roulé-boulé. Il bondit sur ses pieds et s'enfuit en courant. L'étranger tirait toujours.

Joan demeura un long moment sans respirer, regardant les bottes de son sauveur. Apparemment, il se dirigeait vers la jeep. Puis les bottes revinrent vers elle. Lorsqu'il s'arrêta à sa hauteur, elle se mit à fouiller en hâte dans son sac à la recherche de son dictionnaire espagnol-américain.

Il se baissa et la regarda.

— *Por favor... por favor*, bégaya-t-elle, haletante.

Il lui arracha le dictionnaire des mains et, la fixant de ses yeux bleus où se lisait l'irritation, lui demanda :

— Où sont mes oiseaux ?

5

La Renault décapotable escaladait poussivement la route de montagne, croisant une file d'Indiens chargés de valises délabrées et de paquets. Ralph les observait avec une curiosité modérée quand, soudain, un grand Colombien sauta au milieu de la route et se mit à agiter les bras au-dessus de la tête. Ralph se demanda s'il allait porter la main à son cœur qui battait la chamade ou appuyer sur le frein. Il se décida pour le frein.

Zolo brandit sous le nez de Ralph un insigne d'argent. Ralph crut défaillir. Zolo sauta dans la Renault au moment où Ralph virait. La porte côté passager s'ouvrit à la volée puis se referma, manquant d'éjecter Zolo. Ralph appuya sur le champignon et ils foncèrent, descendant la route, dépassant la file des Indiens.

Ralph se sentait tout déconcerté d'avoir un policier à ses côtés. Il abaissa un peu plus son chapeau de paille sur ses yeux et, jetant des regards en coin, il vit que Zolo l'examinait attentivement.

– Est-ce que je ne vous connais pas? demanda Zolo en espagnol.

Si les mains de Ralph n'avaient pas eu à tenir le volant, il aurait sursauté.

– *No comprendo.*

– Vous êtes américain?

– Américain! Beurk! Je hais les Américains, dit Ralph. Je crache sur les Américains.

– Vous devez être français.

Ralph crut qu'il allait vomir.

Joan observait son « sauveur » qui farfouillait dans les ruines de ce qui avait été sa Land Rover. Il tira sur la portière et elle lui resta dans la main. Le siège du chauffeur était écrasé contre le volant et le sol était jonché de débris de cageots.

Avec précaution, il ramassa une photo dans un cadre brisé, faisant tomber les débris de verre et retirant amoureusement la photo d'un bateau, d'un bateau luxueux, aux lignes pures; le plus grand rêve de Jack Colton. Il plia la photo, se baissa et la glissa dans son sac à dos, sans voir Joan debout à côté de lui.

– Euh, excusez-moi. Désolée.

Elle avait brossé son tailleur trois-pièces, refait le nœud de son chemisier, peigné ses cheveux et remis du rouge à lèvres. Il remarqua ses hauts talons et ses lunettes de soleil. Présenter d'elle une image soignée devait être sa façon à elle de faire face à une situation difficile.

– Savez-vous où je pourrais trouver un téléphone?

– Ma bonne dame, je n'en ai pas la moindre idée, répondit-il en la regardant, toujours incrédule.

– Il est très important que je...

– Ma foi, nous avons tous nos problèmes, non? dit Jack qui s'était remis au rangement de ses affaires.

– Y a-t-il une ville près d'ici? Est-ce qu'un autre bus va passer?

Jack la saisit par le bras, l'entraîna au milieu de la route puis lui fit regarder dans l'autre direction.

Joan ne vit que la jungle. Il se pencha vers elle et dit, avec un air malicieux :

– Et encore est-ce l'heure d'affluence!

Scrutant le ciel, Jack vit s'amonceler des nuages d'orage. Il retourna en hâte à sa jeep et rassembla vivement ses affaires.

– Il faut que je trouve un téléphone. Je devrais être à Cartagena!

– Cartagena? Vous êtes à mille lieues de Cartagena, mon ange. Cartagena se trouve sur la côte.

– Mais, on m'a dit que ce bus...

– Qui vous a dit cela?

Joan réfléchit un instant.

– L'homme qui...

– Qui a braqué une arme sur vous. Qu'est-ce qu'il vous a raconté d'autre?

Jack lui tourna le dos et se mit en route. Joan empoigna sa valise et, bien que celle-ci fût lourde, elle réussit à le rattraper.

– Je vous en prie, dit-elle. J'ai besoin de votre aide.

– C'est ma nouvelle vocation?

– Si vous pouviez seulement me conduire à un télé...

– J'ai six mois de gains qui viennent de s'envoler, ma jeep remporterait un premier prix à un concours de ferrailleurs et dans cinq minutes, tout ce qu'il me reste au monde va se trouver trempé. Alors, oubliez ça, ma petite dame, je n'ai pas le temps.

Joan, résolument, continuait à rester à sa hauteur.

– Vous ne comprenez pas. Ma sœur a besoin de moi. C'est une question de vie ou de mort... si je ne la rejoins pas. (Après un instant, elle ajouta :) Je vous paierai! Cinquante dollars!

Jack se tourna vers elle le temps de lui rire au nez et poursuivit sa marche.

– Je croyais que vous aviez tout perdu, riposta Joan.

– Sauf mon sens de l'humour.

– Eh bien, combien voulez-vous? Je vous offre cent dollars. Deux cents dollars.

– Cinq cents et je marche.

– C'est ridicule. Disons deux cent cinquante.

– Ma chère dame, le minimum que je prends pour conduire jusqu'à un téléphone les femmes en détresse, c'est quatre cents dollars.

– Vous accepteriez trois cent soixante-quinze en traveller's?

– *American Express*?

– Bien sûr.

– Marché conclu.

6

En 1948, un nazi en fuite avait débroussaillé quelques hectares de jungle colombienne. Il pensait finir là ses jours, bien caché. Il avait bâti une vaste charpente pour le corps de bâtiment principal, des corrals pour les chevaux et une grange. Un peu à l'écart, il avait construit des adobes pour la nourriture, un atelier et une cuisine. A une certaine époque, il y avait même eu là un jardin potager, des arbustes bien taillés et des fleurs.

Le nazi succomba à la dysenterie en 1952 et, un an plus tard, la police locale réquisitionna les lieux pour y établir ses avant-postes. Depuis lors, on n'avait pas levé le petit doigt pour maintenir les choses en l'état.

Le soleil avait grillé les jardins, n'en laissant que poussière. Les toits laissaient passer l'eau, les planchers gondolaient et les ordures s'empilaient en tas devant chaque bâtiment.

Les visages des policiers qui paressaient sous le soleil torride reflétaient l'apathie qui se dégageait des lieux. Un homme était assis dans une jeep délabrée, les pieds sur le volant, un chapeau sur le visage. Un autre ronflait bruyamment, adossé à une caisse pleine de détritus. Santos, le *jefe*, assis sur une chaise devant la porte de son bureau, chassait les mouches avec un vieux journal. Il entendit le ronronnement d'une voiture qui approchait mais n'y prêta guère attention. Il écrasa une mouche.

La Renault décapotable s'arrêta devant lui. Pesamment, l'énorme Santos se leva. En se dirigeant vers le chauffeur, il remonta son pantalon dans un souci de dignité. Il se penchait vers le conducteur avec un regard menaçant lorsque Zolo émergea, côté passager.

– Rassemblez vos hommes, ordonna Zolo en espagnol.

Aussitôt, Santos se figea au garde-à-vous et salua son officier. Il se mit à aboyer des ordres à ses hommes qui, eux aussi, se mirent au garde-à-vous. Santos aboya de nouveau et les hommes foncèrent dans les bâtiments, en ramenant des armes, des munitions, des provisions.

Tandis que Zolo discutait avec Santos, Ralph se glissa dans le bâtiment principal. Il y trouva un bureau jonché d'assiettes en fer-blanc pleines de haricots desséchés et d'os dont même les mouches ne voulaient pas. Des papiers s'empilaient sur des chaises. On avait remplacé un carreau manquant par une chemise sale. Un vieux ventilateur luttait courageusement contre la fournaise régnante.

Sur le mur d'en face, tapissé d'affiches « On recherche », un téléphone. Ralph bondit. Il saisit l'écouteur et actionna la manivelle de l'antique appareil.

Se tournant vers les trois cellules, à l'autre extrémité de la pièce, il découvrit un Américain aux yeux fous, presque décharné, les vêtements en lambeaux. Il paraissait avoir été battu. Il gémissait, appelait à l'aide, mais Ralph ne voulait que passer son coup de fil.

58

Il parvint enfin à obtenir Ira, toujours sur le cargo avec Elaine.

– Salut, m'man. C'est moi... Irving, dit-il, espérant qu'Ira se souviendrait du code.

– Ralph, mon petit chat, où es-tu ? répondit Ira.

– Du calme, m'man, tu veux ? Qui disait que j'appelais jamais ?

– Ralph, pour l'amour de Dieu, raconte.

Ralph dut s'arrêter un instant car deux hommes de la police venaient d'entrer. Ils se mirent à fouiller partout et ressortirent avec les papiers et les pistolets découverts enfin dans le tiroir du bureau. Ralph poussa un soupir de soulagement.

– Comme d'habitude, cousin, tu nous a mis sérieusement dans la merde. Cette idiote de nana a pris le mauvais bus. Je suis coincé dans une sorte de bâtiment militaire. On dirait qu'ils se préparent pour l'attaque d'Iwo Jima, ici.

– Ils savent qui tu es ?

– Tu me prends pour qui ? Un speaker de Radio-City ? Je m'écrase.

Ralph leva les yeux et eut un choc. Sur le mur, là, s'étalait une affiche « On recherche » avec son portrait ! Il eut du mal à ne pas s'effondrer. Il tenta de saisir l'affiche et de l'arracher, mais elle était trop haute. La panique l'envahit.

Il tira une chaise contre le mur, grimpa dessus, essayant d'atteindre l'affiche tout en continuant à parler à Ira.

– Autre histoire croustillante, Ira : Zolo aussi est après elle. Tu entends ça, gros malin ? Non seulement nous sommes coupables d'enlèvement mais je suis sur le point d'entrer en étroit contact avec un éleveur de bétail.

Cette fois, la voix d'Ira se fit presque aussi frénétique que celle de Ralph.

– Zolo... Zolo est après elle? Il a son équipe avec lui?

– Pas encore. Il se débrouille avec les zozos du coin.

– Ralph, nom de Dieu, je me fous de ce que tu peux faire. Trouve-moi cette carte! Trouve-la!

– Gueule pas après moi, Ira. Je t'ai dit que cette idée branlait dans le manche depuis le début!

Et Ralph s'écroula avec la chaise, coupant la communication.

Dans la vaste cabine du cargo, Ira et Elaine étaient assis à une table particulièrement raffinée : dans des assiettes en porcelaine de Limoges rose et blanc, on avait servi un filet mignon, des pommes au beurre et une julienne de carottes. Dans des flûtes de Waterford pétillait du Perrier Jouet.

Elaine ne parvenait qu'à chipoter dans son assiette, quelque peu impressionnée par la paire de bébés alligators qui se prélassaient paresseusement près du couvert d'Ira.

Elle se demandait ce qui était pire : se trouver aux côtés de ce geôlier aux excentricités morbides, au goût insolite pour les reptiles ou, pour la première fois de sa vie, devoir compter sur Joan. Comment diable le destin pouvait-il se montrer aussi mal avisé?

Elle s'était toujours préoccupée de Joan, notamment depuis la mort de leurs parents. Parfois, elle craignait que Joan ne parvienne jamais à une vraie maturité affective. Sans doute en était-elle en partie responsable : c'était toujours elle qui prenait les décisions.

Quelque chose, dans la nature même de Joan, la rendait perpétuellement craintive face à la vie tandis qu'Elaine semblait y plonger, tête la première.

Parfois, elle ne réfléchissait pas assez, elle en avait conscience, mais au moins agissait-elle, et c'était cela qui comptait.

Pour Joan, des démarches simples – aller à la banque, faire des courses, passer un test pour un emploi – étaient des épreuves. Il avait fallu qu'Elaine livre une véritable bataille pour persuader Joan d'acheter un nouvel ensemble pour la séance de signatures organisée par Avon. Deux semaines durant, Joan repoussa l'idée jusqu'à ce qu'Elaine, à force de la houspiller, parvienne à la décider.

Deux fois au cours de l'après-midi, chez Bergdorf et chez Bonwit, Joan avait allégué une migraine et demandé à rentrer. Elaine avait tenu bon. Joan portait d'ailleurs à merveille ces vêtements à la dernière mode.

– Tu es en train de devenir célèbre, Joan, et il faut jouer le jeu, lui avait-elle dit.

Elaine n'arrivait pas à comprendre l'aversion de sa sœur pour les feux de la rampe. Elaine, elle, aurait joué le jeu à fond. Après tout, cela durerait-il longtemps?

Au lieu de se montrer fière de ses talents et de sa renommée, Joan fuyait la célébrité et retournait à sa machine à écrire et à son univers imaginaire.

Elaine se disait parfois qu'il n'était peut-être pas bon pour Joan d'écrire. Certes, cela payait ses factures et satisfaisait son goût de la création mais la littérature l'empêchait de vivre. Et Elaine croyait ardemment à la vie.

Joan, pourtant, pouvait se montrer d'une jeunesse fougueuse et séduisante quand elle se laissait aller et Elaine espérait qu'un jour sa sœur s'épanouirait, révélant la vraie femme qui se cachait en elle.

Elaine en avait d'ailleurs eu des aperçus, notamment à l'époque où Joan, en deuxième année à l'université de New York, était rentrée toute rêveuse à la maison, à cause d'un certain prof de littérature. Pendant deux mois, Joan s'était comportée comme une autre femme.

Et puis il y avait eu ce jour où la classe d'histoire avait organisé une excursion à Stratford-on-Avon, au Canada. Joan ne s'était pas montrée très enthousiaste d'entrée de jeu, bien qu'Elaine lui eût expliqué que des représentations de pièces shakespeariennes en plein air pouvaient constituer une enrichissante expérience. A son retour, Joan n'avait parlé que de cela pendant une semaine : manifestement, elle avait apprécié, elle s'était révélée d'une grande réceptivité. Avec des images hautes en couleur, elle décrivit le voyage, les gens qu'elle avait rencontrés, les paysages, la nourriture.

Elaine pensa que le comportement guindé de Joan cachait une âme de Marco Polo et les désirs tout féminins d'une Fanny Hill. Elles étaient sœurs, après tout, et ne pouvaient être tellement différentes.

Bien plus, elle jugeait impossible que Joan décrive tant de folles passions sans en ressentir en secret quelques-unes. Follement romanesque comme elle l'était, Elaine espérait que si se présentait l'homme idéal...

Peut-être était-ce là le vrai problème de Joan, peut-être attendait-elle simplement que le Prince Charmant vienne sonner à sa porte et se présente. Un vrai conte de fées, songeait Elaine.

Sans doute n'avait-elle pas donné le bon exemple à Joan. Maintenant qu'elle venait de découvrir qu'elle ignorait tout de l'homme qu'elle avait épousé, elle se trouvait partagée entre le chagrin provoqué par sa mort et la colère ressentie devant

62

sa confiance trahie. Comment avait-il pu se trouver mêlé à des trafiquants et des bandits, à des ravisseurs, même ? Quand cela avait-il commencé ? Avant leur mariage ou après ? Ce devait être bien avant, pensait-elle, car il était propriétaire de cette librairie depuis plus de trois ans lorsqu'elle l'avait rencontré.

Elle s'en voulut de son aveuglement. Elle se souvenait maintenant de coups de téléphone étrangement nocturnes : de vieux copains de classe, disait-il. Toujours il avait insisté pour travailler tard le soir lorsqu'elle faisait de même, afin d'avoir leurs heures de liberté mieux accordées. Tout cela avait paru parfaitement plausible.

A quel trafic était-il mêlé ? A la *Colombian Connection* dont on avait parlé à la télévision ? Et si elle se tirait de là vivante, serait-elle ensuite poursuivie par des trafiquants de drogue, par le FBI ? S'il l'avait aimée, comment avait-il pu l'exposer à de tels dangers ? N'avait-elle été pour lui qu'une couverture ?

Maintenant qu'il était mort, elle ne saurait jamais la vérité. Jamais elle ne saurait si elle n'avait été qu'un pion. Elle souhaitait croire à l'amour tout autant que Joan et même davantage, mais désormais elle n'était plus sûre de rien.

Peut-être était-ce sa sœur qui avait raison de vivre comme elle le faisait, en recluse...

Elle observa la haute pendule de cristal et d'or, l'avance implacable des aiguilles.

A cet instant, Elaine s'inquiétait davantage de Joan que de sa propre sécurité. Quelque chose lui disait que Joan aurait dû arriver depuis des heures. Elle se demanda si Ira se doutait de la haine qu'elle ressentait à son égard : par sa faute, Joan était sans doute en danger.

Si elle n'avait pas autant craint ce que l'autre homme, Ralph, pourrait faire à Joan, Elaine aurait volontiers tranché la gorge d'Ira avec son couteau à steak.

Ira raccrocha brutalement le téléphone et regarda Elaine.

— La petite sœur s'est gourée de chemin. Quant au troisième homme dont je vous ai parlé, il lui colle au train.

— L'homme qui a tué mon mari? demanda Elaine avec un frisson d'angoisse.

— Oui, le boucher qui a tué votre mari. Un homme très puissant, possédant une armée personnelle. Peu importe qu'on l'appelle Dr Zolo, « ministre des Antiquités », ou colonel Zolo, commandant adjoint de la police secrète, il n'en demeure pas moins un boucher. Et pour l'instant, Joan Wilder n'est que de l'aloyau new-yorkais, dit Ira, piquant de son couteau ce qui restait du steak d'Elaine... J'espère que votre sœurette apprendra vite à se protéger les fesses.

Et Ira balança le steak par le hublot. Le gros crocodile rayé de jaune qui rôdait près de la coque n'en fit qu'une bouchée.

7

Joan découvrit qu'une averse colombienne, cela représentait l'équivalent en mètres cubes par minute des inondations de Johnstown. Elle savait que l'homme était là, quelque part devant elle, bien qu'elle ne pût ni le voir ni l'entendre. Elle devinait sa présence. Elle avançait, trempée jusqu'aux os, chaussures en bouillie. Sa valise, couverte de boue, lui paraissait peser des tonnes.

Jack s'arrêta et attendit que Joan le rejoigne.

– Z'avez des trucs de valeur dans cette valise? demanda-t-il à travers le rideau de pluie.

– Non. Oui... mes affaires... mes vêtements.

– Un imperméable?

– Non.

– Une bonne paire de chaussures de marche?

– Non, je... ce sont là les seules que j'ai, dit-elle tout en avalant une pleine tasse de pluie.

– Eh bien! dit-il avec un soupir. Soit!

Il lui sourit et proposa de porter la valise. Joan accepta de grand cœur. Après une tape réconfortante sur l'épaule, il s'éloigna rapidement et balança la valise au loin dans les broussailles.

– Maintenant on va pouvoir faire un bout de chemin ensemble, dit-il, reprenant la marche.

Joan, suffoquée, se rendit compte qu'il lui fallait se taire. Le salaud! pensa-t-elle. Elle eût aimé le bourrer de coups de poing.

Elle fit un pas et, soudain, le sol céda sous elle et l'engloutit! Un cri de terreur sortit de sa gorge.

Jack entendit ce cri, jeta un coup d'œil aux montagnes par-dessus son épaule puis regarda à ses pieds. Autour de lui, une crevasse zigzaguait.

– Nom de... dit Jack qui disparut à son tour.

Joan dégringolait le long d'une pente. Ce n'était que boue et rochers. Impossible de crier, sa bouche était pleine de terre. Toujours glissant et roulant, elle aperçut son « sauveur » dévalant derrière elle. Indubitablement, elle allait tout droit en enfer. Sa tête faillit heurter une grosse pierre. Désespérément, elle tenta d'agripper quelque chose qui arrêterait sa chute. La pente abrupte l'entraînait toujours, tel un puissant courant. Elle allait être enterrée vivante!

Elle faillit céder à l'hystérie mais pensa à Elaine. Il fallait qu'elle s'en sorte, qu'elle sauve Elaine. Elle se concentra sur l'image de sa sœur et le choc des pierres lui parut moins douloureux.

Elaine... Elaine, se répétait-elle.

Elle se trouva brutalement stoppée au pied de la colline et, quelques secondes plus tard, Jack dégringolait sur elle.

– Ouh! s'exclama-t-il en se dégageant. Quelle matinée!

Joan, étourdie, sonnée, n'était pas certaine de vivre encore.

– Ça va? demanda-t-il.

Joan sentit d'énormes gouttes d'eau lui cribler le

visage. Cela la réveilla, en quelque sorte. Elle ouvrit les yeux et se regarda : une veste en lambeaux et la jupe qui ne tenait plus que par un seul bouton. Elle ne ressentait aucune douleur.

– Je vous demande si vous êtes blessée?

Elle avait l'air d'un zombi, gisant là immobile, le fixant de ses grands yeux verts.

– La chute vous a paralysée? Vous êtes blessée? demanda-t-il encore en la secouant par les épaules.

– Non! cria-t-elle, recrachant de la terre.

– Parfait! dit-il en lui saisissant la main pour la relever. Comment vous appelez-vous?

– Joan Wilder, murmura-t-elle, encore étourdie.

– Eh bien, Joan Wilder, dit-il avec un grand sourire, bienvenue en Colombie!

Bien que cinglés par la pluie, Zolo et Santos n'en poursuivaient pas moins leur inspection des lieux, entre le bus et la jeep. Après avoir enfin remis la jeep sur ses roues, Zolo fouilla l'intérieur et y découvrit un magazine américain de yachting.

A l'aide de cordes et de poulies, les hommes de la police de Santos poussèrent le bus et dégagèrent la route.

C'est alors que Ralph apparut dans le virage au volant de sa Renault poussive. Apercevant la police, ses deux jeeps et Zolo, il freina brusquement. Il attendit que la police en ait terminé avec le bus et remonte dans les jeeps.

Avec précaution, il continua de rouler, se passant nerveusement la langue sur les lèvres, se demandant si cette fois il s'en tirerait. Lorsqu'il arriva à la hauteur de Zolo, il était près de craquer.

Zolo lui jeta un regard curieux. Ralph réussit à

sourire faiblement et à faire un geste de la main avant de poursuivre sa route.

Les nuages d'orage disparurent aussi soudainement qu'ils étaient arrivés. Jack étendit sa chemise trempée de pluie sur un gros rocher et en tira une autre de son sac à dos. Il récupéra aussi la photo de son bateau.

En contemplant l'image du yacht, il se demanda s'il était voué aux rêves irréalisables. Jack Colton était le fils unique de Carol et de Don Colton, propriétaires d'une fort plaisante villa située face à la plage de Malibu. Le père de Jack avait fait fortune dans l'immobilier, sa mère travaillant à ses côtés pendant quarante ans, l'encourageant et le soutenant de sa gaieté et de son optimisme. Jack adorait ses parents et, jusqu'alors, il rentrait toujours chez lui passer les fêtes de Noël. La veille du dernier Noël, il s'était trouvé fauché et, plutôt que d'en faire l'aveu à son père, il lui avait dit que les « affaires » exigeaient sa présence en Colombie. Jack promit à sa mère de faire l'impossible pour être là à l'occasion de son anniversaire, en mai. Lorsqu'elle lui offrit de payer son billet d'avion, Jack comprit qu'il ne les avait pas le moins du monde abusés. Mais il avait sa fierté – c'était d'ailleurs à peu près tout ce qu'il lui restait – et avec la perte de ses oiseaux, maintenant, il savait que son voyage était remis aux calendes grecques.

Jack avait vécu une adolescence dorée, passant ses étés à faire du surf sur les vagues du Pacifique et à sortir de blondes nymphettes californiennes au bronzage permanent.

Juste avant d'entrer à l'Université, Jack connut son premier et dernier conflit avec ses parents.

Carol Colton avait rêvé de voir son fils devenir un as de la chirurgie plastique à Beverly Hills. Pour des raisons bien caractéristiques de toutes les mères qui rêvaient pour leur fils de « ce qu'il y a de mieux ». Elle poursuivit le combat jusqu'à ce qu'il entre à l'UCLA pour étudier, notamment, la finance. Se rendant enfin compte qu'il ne changerait pas d'avis, elle décida sagement de renoncer.

Ses années à la fac se passèrent sans histoires. Une fois diplômé, il trouva une situation chez un agent de change new-yorkais.

Trois ans durant, il revêtit chaque matin un costume trois-pièces à rayures, prit son petit déjeuner au *Lutèce* avec de riches clients et mit dans son lit un certain nombre de *glamour-girls*. Après sa quatrième année passée à New York, il découvrit que la ville perdait de son prestige à ses yeux. L'un après l'autre, les jeunes collaborateurs de la firme se mariaient, allaient s'installer dans le Connecticut et avaient des enfants. Désormais, les exploits amoureux de Jack lors du week-end précédent ne les intéressaient plus, pas plus qu'ils n'intéressaient Jack lui-même.

Ce fut à cette époque que Jack se rendit compte que quelque chose ne tournait pas rond dans sa vie. Arrivé au sommet de la hiérarchie de sa boîte, il jugeait son succès plutôt creux. Il lut un article intitulé « Comment on se vide au travail » dans le *Wall Street Journal* et y retrouva les symptômes de sa dépression.

La thérapeutique conseillée était un grand repos et un changement d'air. Jack décida de partir pour le Vermont et de s'essayer au ski. Après tout, était-ce bien différent du surf? Après une lecture attentive des brochures de voyages et le choix de l'auberge qui le séduisait le plus, il s'occupa de ses réservations et demanda son congé.

Lorsqu'il se rendit au rayon des articles de sport de Bloomingdale, il découvrit que ce genre de vacances allait lui coûter une petite fortune car il ne possédait pas le moindre équipement. Persuadé qu'il ne lui faudrait pas bien longtemps pour maîtriser parfaitement son sujet, il choisit ce qu'on faisait de mieux en matière de skis, chaussures, lunettes et gants. Il choisit aussi un ensemble de ski bleu marine à bandes rouge et argent. Pour les soirées à l'auberge, au coin du feu, il acheta des pulls et une veste de sport à chevrons. Sans oublier les accessoires indispensables : chaussettes de laine, cache-nez en cachemire, bonnets en tricot et cagoules. Tout cela pour un montant total de quelque deux mille dollars. Jack fit allègrement mettre cela sur son compte chez Bloomingdale et ne laissa échapper le gémissement de douleur qui montait en lui qu'une fois sorti du magasin.

Jack fit mettre dans son radiateur huit litres d'antigel et partit pour le Vermont. Il eut le souffle coupé par les montagnes et songea que jamais il n'avait respiré un air aussi vif, aussi pur. La tempête de neige de la nuit précédente avait dégagé le ciel et fourni huit centimètres d'une neige parfaite pour le ski.

Jack s'arrêta à la « charmante et familiale » auberge où il avait réservé et remarqua qu'elle n'avait qu'un lointain rapport avec la photo de la brochure. Jack avait rêvé du genre d'endroit qu'il revoyait chaque année à l'époque de Noël dans le film *Holiday Inn*, avec Bing Crosby et Fred Astaire.

Mais cette auberge-ci semblait avoir beaucoup

souffert de Noël en Noël : peinture écaillée, gouttières et tuyaux de descente rouillés et affaissés. On venait de débarrasser les trottoirs de leur neige mais les marches, non salées, demeuraient recouvertes d'une bonne couche de glace.

Ouvrant l'une des portes de bois rongé, il pénétra dans un couloir au tapis usé, aux rideaux sales. Tout de même, un feu brûlait dans la cheminée. En arrivant à la réception, il trouva bizarre que l'endroit ne grouillât pas de touristes. Il sonna et attendit.

Devant la cheminée se trouvaient quatre larges fauteuils à oreillettes autour d'une table basse en merisier. En entendant la sonnerie, une vieille dame aux cheveux blancs lui jeta un coup d'œil en se penchant hors de son fauteuil et lui sourit. Elle se leva lentement et se dirigea vers lui, s'appuyant sur sa canne d'ébène et d'ivoire.

– Vous devez être M. Colton, dit-elle, avec un rayonnant regard des yeux les plus bleus qu'il eût jamais vus.

– En effet.

Il fut surpris de sa vigueur lorsqu'elle lui serra la main. Elle ne devait pas faire plus d'un mètre cinquante et il remarqua qu'elle arborait fièrement – et sans doute avec effort – un dos bien droit et des épaules bien résolues et carrées. Encore que l'éclat de ses joues et le rose de ses lèvres fussent le résultat d'un maquillage savant, il devina qu'elle n'y avait guère eu recours dans sa jeunesse.

– Je vous attendais, dit-elle, avec une lueur presque sensuelle dans le regard.

Déconcerté par cette déclaration, il s'éclaircit la gorge et demanda :

– Y a-t-il quelqu'un pour m'aider à porter mes bagages ?

– Oui, bien sûr, mais mon petit-fils n'est pas encore rentré de l'école. Vous ne refuserez pas de prendre une tasse de thé avec moi près du feu en attendant, dit-elle, affirmant plus que questionnant.

– Euh, non.

Elle lui prit le bras d'une façon telle qu'il se sentit presque impoli de ne pas le lui avoir offert et, ensemble, ils se dirigèrent vers la cheminée.

– Comme vous le voyez, nous sommes très peu formalistes par ici. Je ne saurais vous dire à quel point j'ai été ravie que vous acceptiez notre invitation à séjourner chez nous.

– Je vous demande pardon?

– Je considère plutôt mes clients comme des amis de la famille. Cela me rend les choses plus faciles, dit-elle en lui souriant tout en versant du thé brûlant dans une fine tasse de porcelaine.

Lorsqu'elle la lui tendit, la tasse trembla légèrement dans la soucoupe.

– Je me répète sans cesse que la vieillesse est un état d'esprit, mais je crains qu'elle ne se soit surtout installée dans mes os, dit-elle en riant.

– Je vous trouve remarquablement en forme.

– Comment l'affirmer? Vous ne savez pas si j'ai cinquante-cinq ans ou cent cinq ans.

– Exact, mais je n'aurai pas l'outrecuidance de poser la question.

– Quel jeune homme poli vous faites! Mais je vais vous le dire : j'ai quatre-vingt-dix-sept ans depuis mardi dernier.

– C'est incroyable! dit Jack qui faillit en renverser sa tasse. Ma grand-mère est morte à soixante-huit ans et vous paraissez beaucoup plus jeune qu'elle.

– J'ai toujours aimé les menteurs, dit-elle en souriant de nouveau.

Jack sut qu'il ne parviendrait pas à la convaincre mais jamais il n'avait été plus sincère. Maintenant, plus près d'elle, il se rendit compte qu'elle avait conservé toutes ses dents, que ses yeux ne portaient pas trace de ce voile qui dit la vieillesse et que sa peau n'était fripée qu'autour des yeux et sous le menton. Jeune, elle avait dû être sensationnelle.

A cet instant, la porte s'ouvrit et un jeune garçon d'environ treize ans entra. Il secoua la neige de sa parka et retira ses bottes, ses moufles et son bonnet.

– Salut, grand-mère Jeannine! dit-il, débordant d'exubérance, le nez et les joues rougis par le froid.

– Salut, Billy! Alors, l'école?

– Toujours pareil, répondit-il en s'asseyant dans l'un des fauteuils et en prenant un gâteau sec dans la coupe placée sur la table.

– Voici M. Colton, notre hôte, qui va passer toute une semaine avec nous.

– J'avais deviné. Vous voulez un coup de main pour vos affaires?

– Oui, volontiers, Billy.

– Eh bien, dit-il en enfournant le gâteau sec, je crois qu'on ferait bien de s'y mettre.

Billy se pencha et embrassa la joue de sa grand-mère. Jack l'accompagna à sa voiture. Ils détachèrent les skis tout neufs du toit de la MG.

– Eh ben! Quel matériel! Je n'ai jamais vu de skis aussi chouettes, dit Billy, admirant l'équipement.

– Vraiment? Tu aimes skier?

– J'adore! Je m'entraîne au slalom et un jour je ferai les Jeux olympiques d'hiver.

– Merveilleux! Tu crois que tu pourrais m'apprendre à skier?

– Vous ne savez pas? demanda Billy, incrédule.

– J'ai pensé que ce ne serait pas trop difficile, répondit Jack en riant sous cape.

– Ben, vous devez quand même en connaître un bout parce que vous avez là ce qu'on fait de mieux!

Tandis qu'il regagnait l'auberge, Jack se promit de ne jamais aller faire ses achats ailleurs que chez Bloomingdale.

Il existait à peu près autant de points communs entre le surf et le ski, découvrit Jack, qu'entre la Californie et le Vermont. Il passa son premier jour sur les pentes à « faire du sku » comme disait Billy. Le soleil avait presque disparu derrière les montagnes quand Billy insista pour qu'il essaie encore. Cette fois, il réussit à descendre la petite pente.

Ce soir-là, il rentra à l'auberge fier comme un conquistador qui vient de découvrir un trésor inca.

Tandis que Janice, la cuisinière, préparait le repas, Jack s'assit près du feu pour narrer ses exploits à Jeannine.

Jack n'était à l'auberge que depuis deux jours et jamais il ne s'était senti autant chez lui. Peu lui importait qu'il n'y eût pas d'eau chaude pour sa douche le matin ou que la température, dans sa chambre, fût à la limite du gel. L'épais édredon de plume lui tenait chaud et les vieux meubles de la

74

pièce, un lit à baldaquin et une armoire, étaient exquis.

Il se sentait heureux d'être le seul hôte car cela signifiait qu'il avait Jeannine et Billy pour lui tout seul. Le matin, Janice préparait des monceaux de saucisses, d'œufs, de crêpes arrosées de sirop d'érable. Et maintenant, pour le dîner, il devinait à l'odeur que ce serait un exquis poulet rôti.

Lorsqu'ils prirent place, l'énorme table de chêne était couverte de victuailles. Il aida Jeannine à s'asseoir et s'assit à sa droite. Billy était à sa gauche. Il remarqua alors qu'on avait disposé un autre couvert.

– Attendons-nous quelqu'un? Un autre touriste?

– Cette fois, mon hôte fait vraiment partie de la famille, répondit Jeannine en riant. La sœur de Billy arrive de New York pour passer le week-end avec nous. Je suis très fière d'Alecia. Ce sera une grande avocate un jour.

– C'est merveilleux, dit Jack.

– Quand notre mère est morte, expliqua Billy, grand-mère s'est occupée de nous deux. C'est elle qui a payé les études d'Alecia. C'est là qu'est passé l'argent de la plomberie et de la peinture, précisa-t-il.

– Voyons, Billy, protesta Jeannine, il y avait l'argent de l'assurance.

– Mais pas assez.

– Je suis sûre que l'état des finances familiales n'intéresse pas M. Colton.

– Qu'est-ce qui ne va pas, exactement, avec la plomberie? demanda Jack.

– Je n'en sais trop rien, mais l'entrepreneur m'a dit que cela coûterait très cher de la faire réparer.

– Vous permettez que j'y jette un coup d'œil demain matin?

– Il n'en est pas question! dit Jeannine, passant le poulet à Jack.

Se tournant vers Billy, il remarqua le coup d'œil du gamin. Jack lui retourna son clin d'œil et sut qu'ils se retrouveraient à la cave le lendemain matin pour inspecter la plomberie.

Au milieu du dîner, Jack remarqua un jeu de phares, par la fenêtre.

– Je crois que votre petite-fille est arrivée.

Lorsque s'ouvrit la porte d'entrée, Jack ne put que contempler, bouche bée, la femme la plus jolie qu'il eût jamais vue. Grande, mince, avec de longs cheveux blonds et les mêmes incroyables yeux bleus que Jeannine, elle embrassa son frère et sa grand-mère, le visage illuminé par un sourire. Jack ne se souvint pas de ce qu'il bredouilla quand il lui fut présenté. Elle retira ses bottes de cuir et son manteau en poil de chameau découvrant un pull en angora blanc et un pantalon de lainage abricot.

Jack, assis en face d'Alecia, l'écouta bavarder avec sa grand-mère. L'éclat de la jeune femme le fascinait.

Billy et Jeannine étant partis se coucher, Jack invita Alecia à prendre un dernier brandy avec lui. Pendant plus d'une heure, ils parlèrent de la montagne, de l'histoire de la vieille auberge et de leurs vies à New York. Lorsque Jack lui souhaita bonne nuit et monta dans sa chambre, il sut qu'il était amoureux.

Le séjour de Jack à l'auberge le vit non seulement apprendre à skier avec une dextérité digne d'un bon amateur mais également colmater les fuites de divers tuyaux, arranger deux robinets qui coulaient et réparer le chauffe-eau. En cachette, il se rendit à la ville et embaucha un ouvrier qui accepta de repeindre l'auberge au printemps et de lui envoyer la facture. Il consacra le reste de son temps à tenter d'arriver jusqu'au lit d'Alecia mais n'y parvint pas.

Le week-end terminé, Alecia retourna à New York et Jack demeura à l'auberge pour les deux derniers jours de ses vacances, comptant les minutes qui le séparaient de son retour en ville et du moment où il allait la revoir.

En quittant l'auberge du Vermont, il laissa ses skis, ses chaussures et ses bâtons à Billy qui promit de s'entraîner plus ferme encore pour les Jeux Olympiques. Il prit Jeannine dans ses bras et l'embrassa. En se dirigeant vers sa voiture, il se retourna, regarda une dernière fois la vieille dame drapée dans son châle chatoyant, revint sur ses pas, la serra de nouveau dans ses bras et lui dit :

– Je reviendrai.

– Je ne vivrai que pour cela, répondit-elle en souriant et, de nouveau, il fut surpris par la sensualité qui émanait de son sourire.

Pendant six mois, il passa tous ses week-ends avec Alecia. Dans la semaine, quand elle n'avait pas cours, elle travaillait chez un avocat. Tous les vendredis, elle le retrouvait chez lui, habillé et prêt à partir. Ils allaient au théâtre, dînaient ensemble, allaient danser dans toutes les discothèques de Manhattan et, de retour chez lui, faisaient l'amour jusque tard dans la nuit.

Deux fois en mars, une fois en avril et trois fois en mai, ils allèrent rendre visite à Jeannine et Billy dans le Vermont, chaque fois sur l'insistance de Jack, pas d'Alecia. En mai, Jack prétendit qu'il fallait aller voir l'état des peintures de l'auberge. Il ne dit pas à Alecia que le peintre avait fini plus tôt que prévu et en profita pour lui demander de passer aussi une couche de peinture à l'intérieur. Il laissa le choix de la couleur à Jeannine, ravie de ce projet.

Le premier week-end de juin, la peinture étant terminée, Jack proposait à Alecia de l'épouser et Jeannine mourait dans son sommeil.

Après les obsèques, Alecia demeura dans le Vermont tandis qu'on ouvrait le testament et qu'on mettait l'auberge en vente. A son retour, elle avait changé.

Elle insistait maintenant pour qu'ils assistent aux soirées où ils étaient invités par les autres avocats de son bureau. Elle voulait rencontrer tous les gens qui « comptaient » et poussait Jack à sortir davantage alors qu'il ne souhaitait rien d'autre que de rester à la maison, blotti dans ses bras.

Les mois passant, Jack commença à se rendre compte qu'il manquait quelque chose à ses rapports avec Alecia. Il s'était longtemps berné, pensant qu'il se satisfaisait de leur amour physique alors qu'en fait cela lui laissait un inexplicable sentiment de solitude. Entre eux, la tension monta et ils se querellaient sans cesse. Le jour où Alecia lui rendit sa bague, lui disant que leurs conceptions de la vie étaient par trop différentes, il en fut soulagé.

Ce ne fut qu'un an après son premier séjour dans le Vermont qu'il comprit qu'il était bien tombé amoureux, mais de Jeannine, pas d'Alecia. Désormais, il était convaincu que les filles d'aujourd'hui manquaient de cette chaleur si irrésistible chez quelqu'un comme Jeannine. Profondeur de caractère ou appétit de vivre, il ne savait pas exactement, mais il sut qu'il ne retrouverait jamais cela.

Jack revit Alecia de temps à autre, lorsqu'il allait chez elle rendre visite à Billy. Billy et lui continuèrent à faire du ski dans le Vermont et allèrent même deux fois dans le Colorado. Un an ou deux plus tard, Alecia épousa un avocat de renom de Los Angeles et Billy partit pour la Californie avec elle. Jack donna à Billy le numéro de téléphone et l'adresse de ses parents pour le cas où il ne pourrait le joindre à New York et aurait besoin de lui.

Jack regretta terriblement Billy et lorsque ses collègues lui demandaient comment il avait pu perdre son bel enthousiasme pour le ski, il leur répondait qu'il s'était blessé au genou sur les pistes de Vail, dans le Colorado. Il plaisantait quant à son manque de coordination et nul ne devina jamais la vérité.

Avec sa vie qui se limitait à son travail et, de temps en temps, à un week-end chez des amis mariés qui, constamment, tentaient de l'assortir avec une cousine ou une belle-sœur célibataire, Jack sut qu'était arrivé le moment d'un changement radical. Il voulait une stimulation, l'aventure. Il voulait vivre.

Il sous-loua son appartement, vendit sa voiture et ses costumes trois-pièces et partit pour l'Amérique du Sud.

Cela lui avait paru une bonne idée à l'époque,

mais après trois ans passés dans la jungle ou dans des villes pauvres, Jack désirait de nouveau follement retrouver une vie de luxe. Il ne lui avait pas fallu longtemps pour venir à bout de ses économies car sa principale source de revenus – la vente d'oiseaux exotiques qu'il capturait – ne représentait annuellement que deux mois de salaire à New York.

Il savait qu'il ne retournerait jamais dans cette prison de Wall Street mais quelque chose manquait encore à sa vie. De nouveau il regarda la photo. Ce yacht lui lançait un défi : se mesurer avec la nature, ce qui, tout à la fois, le stimulait, l'électrisait et pourrait lui offrir un luxueux confort. Cela répondait parfaitement à ses besoins. Et était à peu près tout aussi accessible que la découverte d'un trésor enfoui.

D'un geste morne, il rangea la photo. Il jeta un coup d'œil alentour à la recherche de Joan. Où était-elle donc passée? Il avait toujours eu des ennuis avec les femmes, mais celle-ci était une véritable emmerdeuse. Il se leva et entendit un craquement quelque part derrière les arbres.

La tête penchée, elle regardait le sol et il lui demanda, l'air intéressé :

– Qu'est-ce qui se passe? Vous êtes malade?

– J'ai perdu la clé de ma buanderie.

– Quoi?

– La clé de ma buanderie. Elle a dû glisser.

– Vous perdez l'esprit? La nature vient de se charger de votre foutue lessive.

Jack montra les rochers où leurs vêtements et chaussures séchaient au soleil. Furieux, il sortit la machette qu'il portait à un étui à sa ceinture. Saisissant l'une des chaussures de Joan, il coupa la moitié du talon d'un coup rapide comme l'éclair. Et il en fit de même à l'autre chaussure.

– Mes italiennes! cria Joan, horrifiée.

– Maintenant, elles sont devenues pratiques!

Joan se redressa, drapant sa jupe autour de sa taille. Quel sorte de fou est-ce là, se demanda-t-elle en le voyant s'avancer vers elle, sa machette à la main. Elle commença à reculer mais il lui saisit le bras pour l'empêcher de bouger. D'un geste vif, précis, il déchira sa jupe puis lui passa autour des hanches ce qui en restait, une sorte de sarong.

Lorsqu'il glissa les pans du nœud dans son sarong, elle sentit contre elle ses mains rudes. Les yeux baissés, elle regarda sa main frôler lentement son ventre. Sous sa peau, ses muscles frémirent. Une main se posa sur la hanche de Joan, un bref instant. Rougissante, elle n'osa pas le regarder, craignant qu'il ne lise son trouble sur son visage. Il lui fallut toute sa maîtrise pour demeurer immobile et feindre l'indifférence. Ce contact l'avait profondément troublée.

– Rien de ce qui m'appartient ne compte-t-il donc pour vous?

– Uniquement vos trois cent soixante-quinze dollars, répondit Jack en tournant les talons.

Joan le regarda, ses yeux verts brillant de colère. Son premier jugement avait été le bon. C'était un salaud!

Elle ramassa l'une de ses chaussures et s'assit. A cet instant, six projectiles frappèrent l'arbre juste à la hauteur où se trouvait sa tête moins d'une seconde plus tôt!

Jack plongea sur Joan, le poids de son corps contre le sien les envoyant bouler derrière un roc.

Une seconde pour reprendre son souffle et Jack jetait un regard par-dessus leur abri.

Au bord de la route, six hommes de la *policia* et l'obèse Santos. Une autre salve se fit entendre et des balles sifflèrent. Jack se baissa de nouveau.

– Des flics? Qu'est-ce qu'ils veulent, nom de Dieu? Je n'ai rien fait... ces derniers temps.

Jack, faisant le tour du rocher, récupéra son sac à dos et en tira ses jumelles.

Joan, quasiment ravie, s'exclama :

– La police? Merci, mon Dieu! Ils vont me conduire à un téléphone.

Jack, qui se battait avec ses jumelles, finit par les régler. Dans l'une des jeeps, regardant dans leur direction... Zolo.

Jack ne remarqua pas que Joan levait les mains en signe de reddition et commençait à se redresser. Une autre volée de projectiles. Jack plaqua sa « bienfaitrice », s'en voulant, cette fois, d'avoir accepté le marché. Il n'avait pas besoin, à ce point, de trois cent soixante-quinze dollars!

– Couchez-vous, nom de Dieu. Restez couchée! Et ne respirez pas avant que je vous le dise.

Joan acquiesça de la tête.

– Le type qui vous suivait dans le bus... il est là-haut... c'est un flic! Je tirais sur un flic!

Personne ne pourrait-il la sauver, maintenant? Ils étaient perdus, elle le savait. Le tir continuait.

Jack se passa la main dans les cheveux, tentant de comprendre. Il regarda Joan, son chemisier Bergdorf collé à la peau. Et il comprit.

– C'est vous! C'est vous qu'il pistait! Qui diable êtes-vous?

– Je suis romancière.

– Que faites-vous ici?

– Je vous l'ai dit! La... vie de ma sœur dépend de moi!

– Arrêtez de déconner. Je croyais que vous alliez lui donner un rein ou quelque chose comme ça!

Il étouffait de fureur, mais soudain il remarqua que tout était calme. La police ne leur tirait plus dessus.

Jack saisit ses jumelles.

– Nom de Dieu!

La *policia* faisait glisser de longues cordes le long du flanc de la falaise où s'était déclenché l'éboulement. L'un après l'autre, en rappel, les hommes descendaient. Jack régla ses jumelles. Les policiers avaient non seulement des machettes mais aussi ce qu'on faisait de mieux en matière d'armes automatiques.

Un seul policier était demeuré dans chacune des jeeps sur la route. Dès que Santos et ses hommes eurent atteint le bas de la falaise, les jeeps quittèrent les lieux à vive allure. Jack devina qu'elles allaient chercher des renforts.

Zolo fut le dernier à arriver au pied de la falaise. Les quatre policiers et le gros Santos attendaient ses ordres.

Jack laissa tomber ses jumelles et regarda sa compagne, sa dangereuse compagne.

– Si vous vouliez bien mettre vos chaussures, maintenant, ce serait une bonne chose!

Sans relever l'ironie de la remarque, Joan obéit.

Jack bondit sur ses pieds tout en empoignant son sac à dos et son fusil. Il se retourna un instant et tira quelques coups de feu sur les hommes de la *policia* qui avançaient. Joan fonça derrière lui, abandonnant la clairière. A peine atteignaient-ils le couvert de la jungle qu'une pluie de balles criblait l'endroit qu'ils venaient de quitter.

Des branches fouettaient le visage de Joan tandis qu'ils avançaient sous les arbres. Elle tenta de les éviter, mais la végétation était épaisse et dense. La manche de son chemisier se prit à une branche qui déchira brutalement le délicat tissu. Il lui fallut une éternité pour se dégager. Un instant, elle pensa que leurs poursuivants les avaient rattrapés car elle sentit qu'on lui empoignait les cheveux par-derrière. Elle porta rapidement la main à sa tête et tira sur une boucle qui s'était accrochée dans un épineux.

Les broussailles du sous-bois se firent plus denses. Jack balança son fusil sur l'épaule et tira sa machette. Joan l'entendit marmonner et jurer. Tranchant lianes et branches avec des gestes nets et précis, il se frayait un chemin. La peur l'aiguillonnait tandis que son bras s'abattait à la vitesse de l'éclair. Joan se prit la cheville dans une liane et dut se battre longtemps pour se dégager. Lorsqu'elle se libéra enfin, son sauveur avait disparu.

Paniquée, elle regarda autour d'elle, trébucha de nouveau. Le bruit de sa machette lui parvint.

– Attendez! cria-t-elle.

– Le marché ne tient plus, ma bonne dame.

Zolo, Santos et ses quatre hommes parvinrent enfin à la clairière. Zolo remarqua les vêtements qui séchaient encore sur le rocher. Comme il n'avait pu voir par où la femme et son compagnon avaient pénétré dans la jungle, il ordonna à ses hommes d'inspecter les lieux à la recherche d'indices.

Zolo martelait le sol du pied et, de son poing ganté, il cognait la paume de sa main droite, impatient de tuer.

Chaque homme prit une direction différente. Après ce que Zolo considéra comme une perte de temps précieux, l'un des hommes revint avec un morceau de chemisier de femme. Zolo rappela ses hommes et ils s'enfoncèrent dans la jungle.

8

Tel un tisonnier porté au rouge, le soleil dardait ses rayons sur le dos de Joan. Tandis qu'elle suivait Jack, la jungle lui faisait l'effet d'un bain turc. Les lianes et les broussailles lui lacéraient la peau. Jack lui apprit qu'il existait une sorte de palmier nain, particulier à la région, dont les feuilles coupaient comme un rasoir. Précision inutile car Joan avait fait la connaissance de cet arbre et elle lui devait une profonde entaille au genou. Elle déchira un morceau de son chemisier pour arrêter le sang. Cette petite urgence médicale faillit lui faire perdre Jack – définitivement.

Elle pensait avoir agi rapidement mais en relevant les yeux elle ne le vit plus. Elle n'osa pas crier, craignant de révéler leur position à la *policia*. A peine pouvait-elle distinguer, tant la jungle était dense, les traces du passage qu'il s'était frayé à la machette. Un instant, elle se demanda s'il ne l'avait pas délibérément abandonnée. Un examen plus attentif de la végétation lui permit de retrouver sa trace et de le rattraper. Mais l'incident lui apprit qu'il convenait de ne plus jamais le perdre de vue.

Pour la première fois de sa vie, Joan se prit à

détester cette situation de dépendance à l'égard de quelqu'un d'autre. Toujours elle avait dépendu de quelqu'un. De ses parents d'abord, puis d'Elaine, et de lui maintenant! Puis elle décida que ce n'était pas la dépendance qu'elle détestait, mais lui, cet homme. Elle le détestait davantage encore que la situation dans laquelle elle s'était jetée, une situation à laquelle on ne pouvait pas grand-chose quand on l'examinait objectivement. Cela arrive, c'est tout. Mais lui, ce salaud, c'était autre chose.

Elle savait qu'il n'était pas tellement ému de la situation où, involontairement, elle l'avait mis, mais le devinait assez cruel et égoïste pour la laisser mourir dans la jungle si cela devait lui permettre de sauver sa peau. Joan l'avait suffisamment observé pour savoir qu'il n'était nullement un sauveur mais un soldat de fortune, un mercenaire. Du moment qu'il était payé!

C'est alors qu'elle entendit le bruit métallique des machettes. Les policiers gagnaient du terrain! Elle ne put les situer exactement. Peu importait. Plus rien n'importait, désormais, car la police – si c'était bien la police – allait plus vite qu'eux.

Elle se demanda si Jack savait où ils allaient. Jusqu'à présent, elle avait cru que du fait qu'il vivait dans le pays, il se dirigeait vers un endroit précis. Et s'ils tournaient en rond pendant des jours? Ils pourraient bien finir par mourir de faim et de soif!

Elle aurait souhaité lui dire qu'elle se sentait anxieuse, et lui expliquer que de telles contraintes lui étaient odieuses. Mais elle n'était pas, non plus, une de ces délicates demoiselles du Sud, effrayées par leur ombre. Elle pouvait se débrouiller toute seule! Après tout, il ne valait pas mieux qu'elle, même s'il le pensait, et elle était bien déterminée à le lui prouver.

Jack pouvait l'entendre avancer en trébuchant, à quelques pas derrière lui. La jungle était une vraie fournaise et la sueur lui inondait le visage. Les muscles de ses bras lui faisaient mal, à jouer ainsi de la machette. Il pourrait signaler à ses copains restés au pays qu'une seule journée dans la jungle pouvait faire plus pour leur condition physique qu'une année de gym chez Vic Tanny.

Il commençait à croire que la machette se trouvait soudée à sa main et n'osait pas déplier les doigts de crainte de perdre sa prise. Et chaque coup asséné à la végétation était capital. Il adopta une cadence plus efficace. Il ne pouvait se permettre de rater ne fût-ce qu'un seul coup car chaque pouce gagné sur ce maudit chemin était un pas vers la vie. Il tenta d'oublier la *policia*.

Il se jura de demeurer un célibataire endurci, une fois de retour à la civilisation. Cette « expédition » lui avait appris au moins une chose : ne plus s'approcher d'une femme à moins de deux cents mètres. Lorsqu'elles n'essayaient pas de vous briser le cœur ou de vous piquer votre argent, elles vous collaient au cul – littéralement. Il ne savait à qui il souhaitait le plus échapper, à la *policia* ou à Joan Wilder.

Il l'entendait soupirer bruyamment chaque fois qu'une branche lui cinglait le visage ou qu'elle trébuchait. Mais elle ne l'en suivait pas moins, comme un petit chien trop fidèle.

Il aurait aimé croire que s'il se débarrassait d'elle la *policia* lui ficherait la paix, mais il savait qu'il n'en était rien. Ils voulaient sa peau tout autant que celle de Joan. Le diable l'emporte ! Il ne parvenait toujours pas à se convaincre qu'il était descendu de cette montagne et s'était mis à tirer sur un flic! Il avait fait des choses assez extravagantes dans sa vie, mais il avait dû perdre l'esprit pour se livrer à un acte aussi stupide. Mais pouvait-il deviner? Tout ce qu'il avait vu, c'était un bus défoncé, une jolie fille assise sur une valise et un individu patibulaire qui la menaçait d'un pistolet sur sa tête. A cet instant, il avait cru bien faire. Ah, les nanas!

– Vous savez ce que j'aime chez vous? demanda-t-il en lui jetant un regard par-dessus l'épaule.

– Non, quoi?

– Rien! Qu'est-ce que vous avez fait en vous réveillant ce matin? Vous vous êtes dit : « Tiens, aujourd'hui, je vais bousiller la vie d'un homme ».

Il allait ajouter autre chose quand il entendit des hommes se lancer des appels. On aurait dit qu'ils se trouvaient tout autour. Jack redoubla d'efforts, taillant dans la végétation à gestes amples. Le son sifflant des machettes le fit frissonner. Les hommes de la *policia* approchaient.

La végétation se fit, sembla-t-il, moins dense et Jack se mit à courir. Joan le suivait de son mieux.

– Ce n'est pas moi qui ai garé votre jeep au milieu de la route! lança-t-elle.

– Vous étiez un oiseau de mauvais augure et j'aurais dû me méfier.

Jack jeta un coup d'œil derrière lui et vit des éclairs métalliques luire à travers le vert épais de la jungle, s'élevant, retombant, faisant vibrer l'air de leurs sinistres sonorités.

La sueur ruisselait dans les yeux de Jack et il y voyait à peine. Il s'essuyait de la manche de sa chemise et trébucha, perdant de précieuses secondes. Il se redressa et se hâta, le bruit des machettes se faisant plus proche. Un homme moins courageux eût succombé de peur, mais pas Jack.

– Vous savez où vous allez? lui demanda Joan d'un ton qui se voulait dégagé mais craignant sa réponse.

– Aucune idée! Ça ressemble à une sorte de piste, non?

Les cliquetis s'accélérant, Jack devina que leurs poursuivants devaient frapper avec une lame dans chaque main.

Un épais fourré ralentit le coup suivant de Jack qui se déchaîna pour forcer le passage. Soudain il s'arrêta et étendit les bras juste à temps pour arrêter l'élan de Joan. Au delà de lui, elle découvrit une rivière qui rugissait à une centaine de mètres en contrebas.

– Ma petite dame, vous portez la poisse.

– Mais il y a un pont.

Les bords de l'abîme étaient recouverts d'une épaisse végétation et, à quelques pas sur leur gauche, s'amorçait un pont délabré, recouvert de lianes. Même à l'époque de sa construction, il ne devait guère supporter aisément plus de deux Indiens sous-alimentés. Aujourd'hui, pourri par la pluie et malmené par le vent, il n'était que planches affaissées ou rompues.

– Ce n'est pas un pont, dit-il, mais un objet d'art précolombien.

Jack prit son fusil et le rechargea, agenouillé derrière un tronc d'arbre, essayant de repérer la position exacte des policiers. Il entendit qu'on piétinait dans les broussailles proches. Dans quelques secondes, ils seraient sur eux. Sa seule chance était de les descendre l'un après l'autre. Jamais il n'avait autant douté de ses talents de tireur.

– J'aurais au moins voulu savoir pourquoi je mourais, marmonna-t-il.

Joan, elle, refusait de mourir, du moins avant un

certain temps. Et elle était bien décidée à ne pas rester plantée là à attendre la balle fatale. Avec précaution, elle se glissa jusqu'au pont à travers les lianes emmêlées. Elle avança jusqu'à la première planche qui gémit sous son poids mais, heureusement, ne céda pas.

Jack, hochant la tête, pointait toujours son fusil dans la direction des machettes. Ah! pourquoi n'écoute-t-on jamais sa mère?

Joan avait réussi à avancer sur près d'un tiers du pont. Un vrai suicide! Elle se demanda s'il était pire d'être abattue par balle ou de s'écraser sur les rochers escarpés avant de sombrer dans l'eau bouillonnante. Derrière elle, elle vit les planches dégringoler dans la rivière et se briser sous le choc. Elle fut terrorisée à l'idée de suivre le même chemin. Elle avait déjà connu la peur lorsqu'ils fuyaient dans la jungle, mais maintenant elle se sentait terrorisée!

Jack jeta un coup d'œil au-delà du tronc. Les machettes étaient très proches. Il grommela dans sa barbe :

– Je pourrais être un célèbre chirurgien, à l'heure qu'il est. Cinq cent mille dollars par an... à remonter des seins ou des fesses fatigués.

Il leva son fusil et l'arma, prêt à tirer.

– Et je me retrouve ici, avec une romancière à la gomme. J'espère que vous prenez des notes, ma petite dame, car vous allez assister en direct à une belle scène de mise à mort.

Oubliant Jack, Joan avança d'un autre pas prudent. Elle posa le pied sur la planche suivante, et soudain, un craquement...

Jack se retourna juste au moment où la planche cédait et dégringolait dans la rivière. Paniquée, Joan agrippa une liane sur le côté du pont. Le souffle coupé, il la vit se balancer au-dessus de la gorge. Tenant fermement la liane à deux mains, les genoux remontés sur la poitrine, avec un élan que n'aurait pas renié Tarzan lui-même, elle se projeta et atterrit saine et sauve de l'autre côté.

Jack resta suffoqué de son audace et de son agilité. Il jeta un nouveau coup d'œil autour de lui, ajusta son sac à dos, passa son fusil en bandoulière et resserra la bretelle.

Elle avait réussi. Aucune raison de penser qu'il ne pourrait pas en faire autant. Il voulait bien être pendu si une nana le narguait ainsi! Il saisit une liane, tira vigoureusement dessus pour s'assurer qu'elle tenait et recula, sachant qu'il lui faudrait prendre un maximum d'élan et de vitesse pour réussir. Il se mit en position et au moment où il démarrait la liane céda.

Il regarda le morceau resté dans ses mains, pétrifié.

– Merde!

Il lâcha sa prise inutile et jeta un coup d'œil par-dessus l'épaule. Il grogna, apercevant une machette à moins de quinze pas.

Vivement, il saisit une autre liane, vérifia sa solidité. Celle-là allait tenir, il en était sûr. Et si elle ne tenait pas, c'était la mort. Celle-là ou l'autre...

Après trois pas d'élan, il bondit. Il s'agrippa solidement mais malgré ses efforts ne put lever les genoux comme Joan l'avait fait. Son sac à dos et son fusil étaient trop lourds. D'un saut rapide et net, il s'élança.

A mi-chemin, il se rendit compte que la liane était trop longue. Les yeux pleins de terreur, il tenta de nouveau de remonter les jambes mais n'y parvint pas. La paroi de la falaise approchait. Il la heurta avec un bruit sourd.

Jack leva les yeux et aperçut le sommet à moins de cinquante centimètres. S'aidant des mains et des pieds, il assura sa prise et lâcha la liane. Il fallait grimper maintenant...

– Joan? Joan? appela-t-il d'une voix rauque en rejetant sa tête en arrière.

Toujours prisonnière des lianes enchevêtrées, Joan était sous le choc, les genoux en sang, les paumes à vif. Elle ne savait ni où elle se trouvait ni pourquoi elle avait si mal, si mal partout.

Puis elle se souvint de Jack et du cri qu'elle avait entendu. Probablement lorsque les hommes de la *policia* lui avaient tranché la tête d'un coup de machette. Elle était seule, maintenant, sans personne pour la protéger, la sauver. De ce côté de la rivière, elle était en sécurité... mais pour combien de temps?

Elle tremblait sans pouvoir se maîtriser. Il lui fallait se calmer. La petite bouteille de brandy, achetée dans l'avion! Si jamais elle avait eu besoin de boire de l'alcool, c'était bien maintenant. Son sac à bandoulière avait traversé l'épreuve, apparemment intact. La qualité paye toujours, pensa-t-elle, non sans se rendre compte qu'elle commençait à délirer. Fouillant le sac elle trouva la précieuse bouteille.

Les mains meurtries, douloureuses, elle s'escrima à dévisser le bouchon.

Jack, lui, grimpait toujours. Tandis qu'il tendait un bras, la boucle de la bretelle céda et son fusil glissa. Il regarda au-dessous de lui et put voir l'arme se briser sur les rochers. En moins de trois secondes, elle disparut dans les eaux torrentueuses.

Redoublant d'efforts, Jack s'agrippa au rocher et réussit à saisir le bord de la falaise de sa main droite. Mâchoires serrées, muscles tendus, il parvint à assurer aussi sa main gauche. Dans un ultime effort, il hissa son corps.

Il fouilla les broussailles des yeux. Où était Joan? Peut-être avait-elle péri sous le choc.

– Joan, murmura-t-il d'une voix rauque.

Il se laissa retomber sur le ventre et respira profondément. Se massant les jambes, il se demanda s'il pourrait jamais se relever tant ses muscles étaient noués. Les crampes apaisées, il y réussit cependant et s'enfonça dans les broussailles, droit devant lui.

Lorsqu'il vit Joan, assise sur le sol en train de se battre avec la bouteille de brandy, il se précipita sur elle et saisit le flacon.

– De l'alcool! hurla-t-il en le lançant au loin dans les buissons. Et moi qui risquais la mort!

Avant que Joan puisse répondre, deux projectiles frappèrent le sol devant eux. Instinctivement, Jack se jeta dans la jungle, imité par Joan.

9

Ce fut le grondement de l'eau qui fit hésiter Santos. Zolo, certain de tenir les Américains et impatient d'assouvir sa haine, arriva en courant et faillit trouver la mort. Santos le retint par le bras, juste à temps.

Zolo, sans le remercier, jeta un regard sur le torrenteux cours d'eau et les rochers acérés. Furieux, il montra le poing à la rivière.

Il demanda qu'on lui passe ses jumelles et se mit à scruter l'eau à la recherche de cadavres. Balayant la zone rocheuse, il aperçut dans une faille, prêt à basculer, le canon d'un fusil. Il scruta encore mais ne découvrit rien de plus.

Il reporta son attention sur la falaise, de l'autre côté de la gorge, et repéra une liane qui pendait. Improbable... mais possible. Les Américains étaient peut-être plus courageux qu'il ne l'avait cru.

Son regard s'attarda et il lui sembla apercevoir une ombre fugitive. Oui! C'était bien l'Américain!

Il appela un de ses hommes, rechargea son fusil et visa, tirant deux balles. De nouveau, il inspecta les lieux de ses jumelles et se rendit compte qu'il avait raté sa cible.

Il regarda Santos, les dents serrées, les yeux brûlants de colère.

– Je connais un autre passage, dit Santos.

Il fit signe à ses hommes et le petit groupe de la *policia* le suivit le long de la gorge.

Joan se crut en plein cauchemar. Cette zone de jungle paraissait encore plus dense et lugubre que celle qu'ils avaient traversée de l'autre côté de la rivière. Pire encore, il avait commencé à pleuvoir, de la pluie la plus étrange qu'elle ait jamais vue. Lorsque les gouttes frappaient le sommet des arbres, cuits par le soleil, elles grésillaient, provoquant des nuages de vapeur.

Les insectes étaient si nombreux que c'eût été perdre son temps que d'essayer de les écraser. Mouches, moustiques la prenaient d'assaut, s'attaquant plus particulièrement à son visage.

L'averse semblait redonner vigueur à la jungle. Les branches, les fourrés déchiraient à plaisir ses vêtements. Il ne restait plus grand-chose de son sarong, ses cuisses étaient en sang.

Joan se sentait encore plus effrayée maintenant, sachant que Jack n'avait aucune destination précise. Ils fuyaient la *policia* mais pour aller où?

Elle entendait des appels d'oiseaux et Jack les identifia : cacatoès, toucans, perroquets. Elle crut entendre d'autres cris d'animaux mais il répliqua que c'était son imagination qui battait la campagne. Non, il n'y avait en Colombie ni lions ni hyènes! Elle ne fut pas convaincue. Elle n'avait quand même pas rêvé!

Vers la fin de l'après-midi, la pluie cessa et le terrain se dégagea un peu. Pour Jack, il fut plus facile de se frayer un chemin. Il fit appel à ses dernières forces. Il entendait toujours Joan derrière lui, elle haletait et gémissait, mais elle avançait. C'était l'essentiel.

Ils cheminèrent pendant une heure encore. Finalement, à bout de souffle, épuisé, Jack sentit qu'il ne pourrait faire un pas de plus et s'effondra. Son genou lui faisait très mal. Tout en se massant, il songea à l'indifférence de Joan à son état : une garce au cœur sec qui ne pensait qu'à elle !

Joan le rattrapa. Le voyant assis par terre, elle eut presque envie de l'embrasser tant cette pause était la bienvenue. Elle tomba à genoux, consciente qu'ils ne pourraient se reposer bien longtemps. Mais un instant, un seul instant béni, elle n'en demandait pas plus !

A la nuit tombante, ils avaient atteint la rive. Jack, debout au bord de l'eau, regardait le flamboyant coucher du soleil. Le ciel passa du rouge au violet profond, puis au mauve. Des nuages blancs et vaporeux striaient l'horizon. Une bande d'oiseaux exotiques, après s'être abreuvés au bord de l'eau, s'élança dans le ciel, éblouissement multicolore.

Joan, à bout de souffle, arriva en se traînant et s'effondra aux pieds de Jack. Il lui jeta un coup d'œil :

– Vous pouvez vous laver dans la rivière. Je serai en amont.

Elle l'aurait maudit pour sa dureté si elle en avait eu la force. Seigneur ! Cet homme avait-il un cœur ? Et comment pouvait-il marcher encore alors qu'elle réussissait à peine à ramper ? Avait-il découvert une potion magique, concoctée par quelque sorcier ? Si seulement elle pouvait en obtenir la recette, elle l'éditerait et ferait fortune !

Elle dut reconnaître que l'eau était fraîche et

accueillante. On se trouvait à ce moment indécis de la journée où la lune hésite encore à se montrer tandis que le soleil ne disparaît qu'à regret. Une lumière où l'argent et l'or se fondaient...

Joan observa un vol de petits oiseaux blancs qui s'égaillaient à travers les arbres. Fascinée par le clapotis de l'eau et les différentes couleurs qui jouaient à sa surface, elle défit son sarong, évoquant un instant la caresse des mains de Jack.

De nouveau, elle ressentit ce frisson qui la parcourut tout entière. Elle savait qu'il s'agissait là d'une réaction d'ordre sexuel, encore qu'il n'eût témoigné d'aucune attirance pour elle, sauf lors de ce bref contact. En fait, il avait consacré le plus clair de son temps à tenter de la semer dans la jungle. Chaque fois qu'elle le rattrapait, elle lisait dans ses yeux la déception. Comment, dans ces conditions, son corps pouvait-il ressentir le moindre désir? Elle se demanda si sa libido ne se faisait pas envahissante, maintenant qu'elle prenait de l'âge. Dans un article de *Cosmopolitan*, elle avait lu que pour la plupart des femmes le point culminant de la sexualité se situait à la trentaine. Elle se sentit soulagée qu'il lui reste quelque chose à découvrir! Elaine la taquinait souvent, la traitant de refoulée, et Joan se demandait maintenant si elle n'avait pas eu raison.

Si cela était, comment expliquer sa réaction face à Jack? Joan se persuada qu'il ne s'agissait là que d'une réaction normale dans une situation stressante. Peut-être *Psychology Today* pourrait-il formuler cela un peu mieux avec un jargon plus percutant, mais la réponse la satisfaisait.

Timidement, elle avança un peu plus. Oui, l'eau était tiède, presque de la tiédeur d'un bain. La rivière était claire et propre et Joan pouvait en voir le fond, parcouru de bancs de minuscules poissons tropicaux, rouges, bleus, or et verts. Elle gloussa lorsqu'ils vinrent lui mordiller les pieds.

Une légère brise faisait ondoyer les arbres, caressant les branches au passage. Joan laissa la nuit embaumée pénétrer en elle avec ses senteurs de jasmin, d'orchidées et de fleurs sauvages.

Angelina l'aurait approuvée, songea-t-elle en se livrant avec délices à l'eau tiède. Elle plongea sous l'eau, puis fit la planche, regardant les étoiles et la lune.

Combien de fois avait-elle écrit une telle scène sans jamais savoir, savoir vraiment, ce que c'était que nager dans une rivière comme celle-ci... nue! Elle avait raté tant de choses dans sa vie, mais à coup sûr elle aurait pu choisir mieux que cette équipée hasardeuse dans la jungle sauvage d'Amérique du Sud!

Malgré cela, elle ne put résister à une immersion de tout son être en cet instant de solitude et de paix.

Elle oublia un instant Elaine et son dangereux ravisseur. Elle oublia la *policia* et ce fou qui voulait mettre la main sur sa carte. Elle se laissa aller aux enchantements de la nature et de la nuit.

Au milieu de la rivière, la tête penchée en avant, elle se rinça les cheveux dans l'eau cristalline, puis se redressa.

Jack, qui longeait la rive, eut soudain le regard attiré par l'endroit de la rivière où elle se trouvait. Elle paraissait irréelle au clair de lune. Il regarda les gouttelettes d'eau qui scintillaient dans ses cheveux. L'eau coulait en filets d'argent le long de son cou et entre ses seins. Il crispa les mains, les rouvrit. Tandis que sa bouche se faisait plus sèche, il se contraignit à récapituler les ennuis dont elle était la cause : la perte de sa Land Rover et de ses oiseaux. Il tenta d'oublier la profondeur de ses yeux verts, la douceur de sa peau, la courbe sensuelle de ses lèvres. Pas facile !

Comment une femme aussi guindée, aussi austère pouvait-elle soudain se révéler séduisante et jolie ? Il vivait dans la jungle depuis trop longtemps pour mettre cela sur le compte du décor. En tout cas, il pouvait certifier sans l'ombre d'un doute qu'elle était bien la femme la plus sensuelle qu'il ait jamais vue.

Cette sensualité n'émanait pas seulement de la façon dont elle entrouvrait les lèvres, dont elle baissait lentement les paupières. Et ce mystérieux sourire !

Il ressentait plus que du désir. Oui, Joan était différente. Elle n'avait rien de ces demoiselles de Manhattan, plus intéressées par sa belle situation que par lui-même ; rien de ces Colombiennes qui ne voyaient en lui qu'un billet d'entrée aux Etats-Unis. Il se trouvait attiré par autre chose que son physique. Et pourtant, jusqu'ici, ne s'était-elle pas comportée comme une garce ! Quel défi et quelle tentation que d'essayer de la mieux connaître !

Joan se rendit soudain compte qu'elle n'était plus seule. Jack la regardait.

— Je pensais vous avoir entendu dire que vous alliez en amont, dit-elle sèchement.

— Quoi ? Dans cette eau ? Je ne m'y baignerais pas même si on me payait.

Joan savait qu'il la taquinait mais elle se sentit mal à l'aise et nerveuse.

— Si cela ne vous dérange pas, j'aimerais sortir. Je commence à avoir froid. Eloignez-vous et retournez-vous.

Jack obéit et se mit à disposer par-dessus un

entrelacs de lianes des palmes qu'il avait rapportées.

Joan saisit vivement ses vêtements et se glissa rapidement derrière un arbre pour s'habiller à l'abri. Elle apparut bientôt, achevant de boutonner son chemisier.

– A combien sommes-nous de Cartagena?

– Un peu plus de trois cents kilomètres, répondit-il nonchalamment.

– Mon Dieu! Nous ne sommes vraiment nulle part!

Elle vit Jack ôter sa chemise, conservant son pantalon et son tricot.

– Ma foi, nous sommes dans la jungle, observa-t-il en souriant, sentant qu'elle le regardait.

Il s'éloigna de quelques pas en direction de l'abri, retira ses bottes puis se glissa sous le bâti de fougères.

Joan l'observait, inquiète. Pensait-il vraiment qu'elle allait dormir là, sur cette couche de fortune? Une couche fort étroite, qui plus est!

Jack se fit un oreiller de sa chemise et de son sac à dos, et il s'était déjà confortablement installé dans son sac de couchage quand Joan s'approcha. Il la regarda en souriant.

Joan contempla le lit et l'étroit espace qui serait le sien. Il dut lire dans ses pensées car il se poussa et tapota le sol à côté de lui.

– Vous n'allez tout de même pas dormir à la belle étoile?

– Euh...

– Joan, soyez raisonnable, il y a des choses qui rampent dans la nuit.

Elle s'éloigna, s'appuya contre un arbre puis glissa doucement sur ses talons.

– En fait, je ne suis pas si fatiguée que cela. Curieux, non?

– Ouais, répondit Jack sans dissimuler son amusement. Très curieux.

– Vraiment, je serai très bien ici. C'est tout à fait confortable, dit Joan, tentant désespérément de se convaincre qu'elle était bien, s'appuyant de tout son poids contre l'arbre et tentant de faire fi des crampes qu'elle ressentait... Constatant qu'elle s'assoupissait, elle tendit la main vers son sac et poussa un cri. Elle bondit sur ses pieds, secouant frénétiquement sa main : un mille-pattes noir et velu tomba sur le sol. Elle se précipita vers Jack.

– J'arrive!

– Vous n'êtes même pas essoufflée, grommela Jack en se retournant.

Joan décida de feindre de ne l'avoir pas entendu. Elle se glissa sous l'abri des branches et des lianes et s'étendit à côté de lui, son sac toujours serré contre elle. Bientôt, elle commença à se détendre vraiment.

Comme s'il sentait qu'elle avait baissé sa garde, Jack se tourna soudain vers elle et lui immobilisa les bras à hauteur des épaules, son visage penché sur le sien.

– Pourquoi ne pas me raconter, pour votre sœur? lui demanda-t-il d'une voix très, très basse.

– Je vous ai dit, répondit Joan, luttant faiblement contre la pression de ses mains.

Comment pouvait-il la regarder ainsi sans pour autant se jeter sur elle. Elle avait toujours été fière de sa maîtrise de soi mais cet homme pouvait lui donner des leçons!

– Ouais. Allons, Joan, je veux savoir dans quelle histoire je me suis fourré.

– Nous avions décidé que vous me conduiriez à un téléphone répondit-elle, têtue. Un point, c'est tout.

Jack la regardait, se demandant comment faire tomber ses défenses. Depuis un certain temps, il se rendait compte qu'elle cachait quelque chose et le moment était venu de connaître la vérité.

– Son mari est mort. Je suis venue pour... la réconforter.

– Vous vous imaginez que je vais croire ça? demanda Jack, furieux.

– C'est la vérité, dit-elle, soutenant son regard.

Jack la fixa dans les yeux puis, lentement, baissa son visage vers celui de Joan, cherchant à l'embrasser. Malgré elle, Joan se détourna.

– Qu'est-ce que vous faites? demanda-t-elle avec une mauvaise humeur manifeste.

– Vous ne me faites pas confiance?

– Non.

Vraiment? se demanda-t-elle.

– Vous m'avez bien confié votre vie.

– J'ai également confié ma vie au pilote de la Pan Am, ce qui ne signifie pas que je doive coucher avec lui.

Jack se redressa, mais elle se rendit compte que sa réplique l'avait amusé.

– Parfait, dit-il, parfait. (Il se retourna sur le dos, s'installant de nouveau pour la nuit:) Voyez-vous, Joan, je suis trop vieux pour ce genre de truc.

Joan se tourna également, souriant, n'en croyant pas un mot. Angelina ne serait pas fière d'elle, elle en était sûre.

Il fallut à Joan moins de trois minutes pour qu'elle s'endorme. Jack savait qu'elle était bien plus fatiguée qu'elle ne voulait l'admettre. Il baissa la fermeture de son sac pour pouvoir bouger puis se tourna face à elle. Les petites mèches de cheveux qui encadraient son visage avaient commencé à sécher et il remarqua qu'elle frisait naturellement. Il pensa à d'autres boucles, ailleurs, sur son corps... Il croyait qu'elle avait les cheveux raides car elle les tirait strictement en arrière. Qu'avaient donc les femmes à toujours vouloir modifier la nature? Lorsqu'elles avaient les cheveux raides, elles voulaient friser et lorsqu'elles frisaient naturellement elles souhaitaient avoir les cheveux raides. Les grandes voulaient être petites, les petites rêvaient d'être grandes. Celles qui étaient dotées de formes généreuses voulaient une poitrine menue...

Sa main remonta et baissa la fermeture à glissière, juste assez pour la voir respirer. Ses seins soulevaient doucement la soie de son chemisier. Un coup de vent la fit frissonner et elle se rapprocha de lui.

Qu'avait-elle donc qui évoquait pour lui un feu dans la cheminée et des fauteuils anciens? Il aurait souhaité faire un feu de camp près duquel ils auraient pu s'asseoir et bavarder tranquillement. Il aurait souhaité la réveiller et que, dans les bras l'un de l'autre, ils se réconfortent. Il aurait souhaité qu'elle n'ait pas peur de lui comme c'était le cas. Parfois, en la regardant, il lisait dans ses yeux une véritable terreur. Non pas le genre de peur qu'il éprouvait lui-même dans cette jungle dangereuse, mais autre chose – un refus d'accorder sa confiance.

Bon sang, que fallait-il faire pour mériter cette confiance? Impossible, chez cette femme, de trouver la faille. On avait beau retourner le problème dans tous les sens, on ne découvrait pas comment le prendre. A certains moments, elle ressemblait à une institutrice bostonienne et, l'instant suivant, on la retrouvait en déesse des eaux, irrésistible de féminité. Elle pouvait le regarder avec des yeux à faire fondre l'acier et, l'instant d'après, ces mêmes yeux reflétaient des envies de meurtre.

Il faudrait un sacré bonhomme pour l'apprivoiser sans en devenir dingue. Jack étouffa un bâillement et, finalement, ne résista plus au sommeil. En fermant les paupières, il se demanda s'il existait, à New York, un bonhomme de ce genre qui attendait son retour.

Joan se réveilla en sursaut pour s'apercevoir que Jack, tourné vers elle, avait posé la main sur un de ses seins. Elle remarqua la position de la fermeture à glissière et se demanda quelle protection pouvait bien offrir un sac de couchage ainsi ouvert contre les « choses » qui rampaient.

Le visage de Jack était enfoui dans ses boucles. Elle se tourna, le visage à quelques centimètres du sien. Il paraissait dormir mais n'en tenait pas moins fermement son sein. Doucement, elle commença de repousser sa main, quand soudain...

Joan tourna la tête vers la droite et aperçut des lumières qui dansaient dans les arbres et s'approchaient. En entendant une branche craquer, elle comprit que le cauchemar recommençait.

Le corps tendu, elle observa les hommes de la *policia*. Ils allaient les découvrir, à coup sûr, et cette fois Jack et Joan n'avaient aucune chance de leur échapper. Et si elle faisait le moindre mouvement, elle trahirait leur présence.

Des larmes lui montèrent aux yeux, un sanglot noua sa gorge.

A cet instant, une main se plaqua sur sa bouche! Les yeux agrandis par la terreur, elle retint son souffle. Son assaillant allait-il lui plonger un poignard dans le dos ou la torturer? Et Jack? Etait-il déjà mort?

A cet instant, Jack vint sur elle et leurs regards se croisèrent. C'était sa main qui la bâillonnait! Il lui fit signe de ne pas faire le moindre bruit puis écouta les branches craquer et les pas qui approchaient. Furtivement, la main de Jack se glissa vers sa machette, la plaqua contre lui, s'assurant qu'ainsi elle ne refléterait aucune lueur. Jack, le corps tendu, ramassé, s'apprêtait à frapper.

Terrorisés, ils virent l'éclair d'une torche puissante balayer le sol à quelques centimètres d'eux. Tel un serpent d'argent, l'éclair ondula sur l'herbe, les feuilles, la mousse. Le rayon de lumière fouillait chaque pouce de terrain.

Jack pouvait entendre le bruit des pas de l'homme qui tenait la torche. A moins de dix mètres de Jack, il scruta soigneusement le sol avant de poursuivre. Jack agrippa la machette plus fort encore. Pourvu qu'il puisse s'en servir! Il refusait de mourir d'une balle sans lutter.

Le rayon de lumière se trouvait à quelques centimètres du bas du sac de couchage. Jack le vit miraculeusement s'éloigner sur la gauche. Il allait se tourner de nouveau vers Joan lorsque la lumière revint vers eux, passant tout près de leurs têtes. Il sentait la tension de Joan à côté de lui. Si l'un ou l'autre bougeait, émettait le moindre bruit, c'était la mort.

Avec une insupportable lenteur, la *policia* s'éloigna. Jack attendit qu'ils disparaissent pour se permettre de relâcher son souffle.

Il regarda Joan qui lui parut sur le point de craquer. Elle enfouit son visage dans la poitrine de Jack, s'accrochant à son cou. Il lui caressa les cheveux, tentant d'apaiser ses pleurs étouffés. Tout en murmurant doucement des mots à son oreille, il la serra dans ses bras. Il demeurait cependant aux aguets. Plus que jamais, il sentit qu'il devait arracher la vérité à Joan Wilder et découvrir les raisons de sa présence en Colombie. Voilà trois ans qu'il vivait là et il savait que les policiers nonchalants des postes avancés ne se seraient pas lancés pour rien dans une telle chasse à l'homme. Joan Wilder avait des tas de choses à lui expliquer et il était bien décidé à obtenir les bonnes réponses.

10

Ralph gara sa Renault au bord de la route de montagne et remonta la capote pour la nuit. Avec une vieille nappe et un dessus-de-lit encore tout neuf dans son plastique, il se fit un lit sur le siège arrière de la voiture.

Il alluma la lampe intérieure pour pouvoir lire avant de s'endormir. Aussitôt, les moustiques, avec une précision de commandos de l'air, attaquèrent en piqué par les vitres ouvertes. En représailles, Ralph remonta les vitres et mena une contre-attaque rapide, armé d'une bombe insecticide. Quelques instants plus tard, la guerre était finie et Ralph victorieux.

Il s'installa de nouveau et rouvrit son livre :

Angelina, à la vue de la virilité de l'homme ainsi révélée, en eut le souffle coupé...

Vivement, Ralph tourna la page et se coupa le doigt dans son excitation. Nom de Dieu ! jura-t-il en suçant son doigt et en reprenant sa lecture.

Pareille aux séquoias qu'elle avait connus, enfant...

Ralph jeta un coup d'œil à son anatomie et rejeta le livre en marmonnant :

– Quel tas de conneries !

A peine Ralph avait-il éteint la lumière qu'il entendit le bruit bizarre de pales qui tournaient autour de sa tête. Il baissa la vitre et pencha la tête. Le bruit était de plus en plus proche, sans qu'il pût pour autant deviner d'où il venait. Puis il aperçut, dans les arbres, des lumières qui dansaient çà et là. Et au loin, dans le couvert des arbres, il vit une fusée s'élever dans le ciel à la rencontre de l'hélicoptère.

L'hélicoptère militaire avait trouvé son objectif...

Zolo scrutait le ciel au-dessus du bivouac improvisé. Il avait donné l'ordre aux hommes de suspendre leurs lampes torches aux arbres. On fit un feu de camp et Zolo espéra qu'on les repérerait facilement.

Santos, qui avait passé des années dans la jungle, savait qu'au milieu d'une végétation aussi dense, ils pourraient errer et se perdre durant des années sans qu'on vienne jamais les secourir. Heureusement pour lui, il avait informé Zolo qu'on se trouvait là à la limite de son district et qu'il n'irait pas plus loin avec lui. A l'aide de sa radio ondes courtes, il avait ordonné à ses hommes des avant-postes de venir les retrouver à cet endroit précis avec des jeeps et un camion.

Il y avait de la friture sur les ondes lorsqu'il avait tenté d'atteindre le poste. Les camions auraient dû être là maintenant, et il n'avait pas la moindre intention de passer la nuit avec Zolo. Au moment où, de nouveau, il allait essayer un nouvel appel radio, les véhicules arrivèrent. Santos ordonna à ses hommes de ramasser leur attirail, de le charger dans le camion et il se prépara à partir.

Le bruit de l'hélicoptère arrêta tout mouvement dans le bivouac. Zolo, le cou tendu, fouillait le ciel de ses jumelles. Il ordonna à un policier de tirer une fusée et, comme l'homme hésitait, consultant Santos du regard, Zolo devint furieux. Il laissa tomber ses jumelles, arracha le lance-fusées des mains de l'homme et tira lui-même. Il relança le lance-fusées à l'homme et reprit ses jumelles. Cette fois, lorsqu'il réitéra son ordre, l'homme obéit.

La lueur des fusées illumina soudain l'océan de végétation autour d'eux et indiqua avec précision leur position à l'hélicoptère. L'appareil vira légèrement vers le nord-est, mettant le cap sur la bonne direction.

Santos en avait presque terminé avec ses préparatifs de départ, maintenant qu'on attendait l'hélicoptère. Debout près du feu, il griffonnait ses dernières notes sur le calepin qui ne le quittait jamais.

Il ne vit pas Zolo s'approcher de lui, s'arrêter, regarder par-dessus son épaule ce qu'il écrivait. Soudain le calepin lui fut arraché des mains.

— Ce sont des notes pour mon rapport! protesta Santos.

— Vous ne ferez pas de rapport, dit Zolo en jetant le calepin dans le feu.

Santos n'en croyait pas ses yeux. Le calepin contenait non seulement des renseignements sur leur expédition mais encore ses rapports quotidiens pour les trois dernières semaines. Il s'approcha du feu.

— Mais, je fais toujours... dit Santos, luttant contre les flammes.

Zolo plaqua sa botte bien cirée sur le bras de Santos, lui écrasant la main dans les flammes.

Santos se refusa à hurler mais son visage se crispa de douleur.

— Pas de rapport. *Comprende?*

– *Si, si, si*, répondit Santos, se retenant vaillamment de hurler.

Son machisme était le plus fort...

– Jamais, précisa Zolo, les dents serrées, appuyant plus fort de son pied.

– *Si. Comprende?*

– *Gracias*, dit Zolo, retirant son pied.

Santos souffrait tellement qu'il demeura étendu sur le sol. Zolo le prit par le bras et le releva.

– Voyez-vous, Santos, il s'agit là d'une affaire personnelle, pas d'une affaire officielle. Vous et vos hommes, vous allez oublier cette journée. *Comprende?*

– *Si.* J'ai déjà oublié.

Il contemplait sa main brûlée, serrant les dents pour ne pas crier. Tandis que Zolo passait un bras fraternel autour des épaules de Santos, ses lèvres minces et cruelles s'ouvrirent en un sourire mauvais. Zolo l'entraîna vers le camion et les jeeps.

Tandis que Santos embarquait dans la première jeep, tenant toujours sa main douloureuse, Zolo lui donna quelques tapes amicales sur l'épaule. Ce contact fit frissonner Santos.

– Il est heureux que vous ayez oublié le rapport, car je sais où dorment vos enfants, dit Zolo.

Santos, sans répondre, fit signe au chauffeur de démarrer.

Au moment où le moteur de la jeep se mettait à ronfler, l'hélicoptère fit un point fixe au-dessus d'eux, captant l'attention de tous. L'hélicoptère signala qu'il allait se poser et on dégagea le terrain.

Les pales de l'hélicoptère soulevèrent une poussière de feuilles, de branches et de terre, obligeant les hommes de Santos à se protéger le visage de leurs mains. Le rugissement du moteur et des pales était assourdissant.

De sa jeep, Santos observa les six hommes revêtus d'uniformes gris qui sautaient de l'hélicoptère. Ils étaient coiffés de bérets noirs, gantés de noir, chaussés de bottes noires et tous arboraient l'insigne blanc, or et noir de l'unité d'élite colombienne.

Santos avait entendu parler de l'escadron de la mort personnel de Zolo, mais jusqu'à cet instant il avait cru qu'il s'agissait d'une sorte de légende, un peu comme les histoires de sorciers. Bien que n'étant pas en formation, ces hommes avançaient à pas mesurés, précis. Leurs boutons et leurs boucles d'argent brillaient à la lueur des fusées. Santos se demanda si les balles destinées à certaines victimes étaient vraiment en argent, comme on le prétendait. En jetant un coup d'œil sur l'armement ultra-moderne qu'ils portaient – pistolets à viseur infra-rouge et fusils équipés du même dispositif – Santos ne fut pas loin de croire que ce devait être vrai. Santos s'attendait à tout de la part du maniaque qui se tenait près de lui, saluant ses hommes.

Zolo s'avança, du même pas que ses commandos, salué par les hommes. Le soldat de tête fit un pas en avant et tendit à Zolo son propre uniforme gris, impeccable dans son sac de nettoyage en plastique.

Joan s'éveilla le lendemain matin au bruit de la rivière qui cascadait en aval. Il lui fallut un long moment pour se situer et se ressaisir. Elle se frotta les yeux et, tournant la tête, vit qu'on avait remonté jusqu'au menton la fermeture à glissière du sac de couchage. Elle la dégagea, tâta des doigts la marque

112

profonde laissée sur sa peau et se demanda ce que dirait Jack en voyant cette empreinte.

Elle s'étira, les bras au-dessus de la tête, et sourit en se souvenant qu'elle venait de passer la nuit dans le même lit que lui. Elle se rappelait encore la pression de son corps contre le sien alors qu'ils s'endormaient. Elle avait découvert, avec surprise, qu'elle aimait le contact de ses mains et décida de ne jamais plus les écarter. On s'habituait facilement et avec plaisir à dormir avec lui.

Elle se tourna dans l'intention de le réveiller et découvrit qu'il n'était plus là! D'un coup d'œil rapide, elle fit le tour de leur petit camp; il avait disparu, tout comme le sac à main de Joan. Pourquoi lui avoir laissé son sac de couchage? Elle bondit sur ses pieds. Elle demeura un instant immobile, se demandant quelle direction il avait pu prendre. Elle se dirigea vers la jungle.

Pourquoi l'abandonnait-il sans cesse? Que lui voulait-il? Elle pensa d'abord qu'il en voulait à son argent; puis à son corps. Peut-être ni à l'un ni à l'autre. Elle n'y comprenait rien.

Elle s'élança vers des bosquets et se fraya un chemin à travers les broussailles et la végétation basse. Elle essaya de s'orienter et prit un peu plus à l'ouest.

Quelle folie! Elle risquait de se perdre à jamais. En s'enfonçant davantage dans la jungle, elle sentit la faim lui nouer l'estomac. Si elle retrouvait jamais Jack, elle insisterait pour qu'ils pêchent quelques poissons et grimpent dans les arbres pour cueillir des dattes ou des bananes.

Dépassant le second bosquet, elle s'arrêta : il était là, assis sur un rocher proche, et tellement absorbé dans l'examen de la carte dérobée dans le sac de Joan qu'il ne l'entendit pas arriver. Joan, furieuse, constata qu'il avait éparpillé ses affaires autour de lui avec une désinvolture manifeste. Elle avança à grands pas vers lui.

– Donnez-moi ça! Vous n'avez pas le droit...

Joan tenta de s'emparer de la carte mais n'y réussit pas. Elle fit une deuxième tentative, tout aussi vaine.

– Donnez-moi ça! Bon Dieu... Donnez... dit-elle, exaspérée. Je ne suis pas d'humeur à jouer.

De nouveau, elle bondit vers lui, tentant de lui arracher la carte, mais il leva la main au-dessus de sa tête, hors d'atteinte de Joan.

– Qu'est-ce que c'est? lui demanda-t-il, le regard plein de curiosité.

– C'est à moi, répondit-elle, jugeant qu'il ne méritait pas de plus amples explications.

Avait-on jamais vu quelqu'un donner des indications à un voleur?

Jack s'éloigna d'elle, la carte toujours contre sa poitrine.

– *El Corazón*? dit-il, lisant le titre.

– Je ne sais pas ce que c'est!

Joan se sentit si frustrée d'avoir à se quereller avec lui à propos de la carte, à propos de tout, qu'elle finit par craquer. Ses yeux s'emplirent de larmes. Elle tomba à genoux et se mit à ramasser ses affaires : rouge à lèvres, peigne, poudrier. Fatiguée, affamée, malheureuse, elle se sentait à bout. Elle ne faisait pas le poids face à la *policia*, aux ravisseurs et à ce maniaque qui voulait à la fois sa mort et celle de son « sauveur ». Et face à Jack, elle ne pouvait rien non plus. Elle en avait assez de lutter, elle renonçait.

Elle essuya ses larmes et renifla, rangeant dans son sac son mascara et ses pastilles de menthe. Bizarre que des choses aussi futiles que ces accessoires aient soudain tant d'importance pour elle. Peut-être la jungle la rendait-elle folle?

De nouveau, elle le regarda, consciente qu'elle allait devoir lui dire la vérité. Quelle naïveté de croire qu'ils pourraient parcourir près de cinq cents kilomètres ensemble sans lui révéler les raisons de son voyage.

– Quelqu'un a enlevé ma sœur. Si je livre cette carte, on la libère. C'est tout ce que je sais.

– Une rançon. Ils détiennent votre sœur pour *El Corazón?* demanda-t-il incrédule.

Il s'accroupit près d'elle et lui sourit en lui tendant la carte. Reconnaissante, elle la rangea dans son sac. Pour quelque étrange raison, elle n'eut pas l'énergie de répondre à son sourire et, lorsqu'elle le regarda, ses yeux s'emplirent de nouveau de larmes.

Tout lui paraissait tellement désespéré. Peut-être avaient-ils déjà tué Elaine? Et elle se trouvait là, au milieu de la jungle.

Doucement, il essuya ses larmes et l'aida à ramasser ses dernières affaires.

– Pourquoi ne pas me l'avoir dit?

– Je ne sais pas. Je ne savais pas si je pouvais vous faire confiance. Je... je l'ignore toujours, dit-elle, levant les yeux et découvrant qu'il avait son carnet de chèques dans les mains.

Elle lui jeta un regard courroucé, lui arracha le carnet et le fourra dans son sac.

Jack était au comble de l'exaspération. Il en avait jusque-là de cette New-Yorkaise.

– J'ai failli laisser ma peau là-bas pour votre sœur. Plusieurs fois!

– On m'avait dit de n'en parler à personne!

– Parfait! Mais si nous avons la rançon, qu'est-ce que tous ces flics viennent faire là-dedans?

Elle s'était déjà posé la question, en vain. Elle espérait qu'il allait pouvoir répondre, lui! Il était du coin, lui. Tout cela n'avait plus aucun sens.

– Je sais seulement que je devrais y être, expliqua-t-elle, refoulant ses larmes. Et... et s'ils l'ont tuée?

– Ne vous en faites pas pour cela, dit Jack en se levant et en lui prenant le bras. Tant que vous détenez la carte d'*El Corazón*, tout ira bien pour votre sœur. (Joan lui sourit tristement en se relevant.) Vous arriverez à temps pour la délivrer... Joan Wilder.

Joan le regarda, espérant avoir eu raison de lui dire la vérité. Quels secrets y avait-il derrière ses yeux bleus? Allait-il vraiment l'aider à délivrer sa sœur? Savait-il comment retourner à la civilisation? Elle sentit qu'il lui fallait faire confiance à quelqu'un. Après tout, il avait risqué sa vie pour elle plusieurs fois au cours des dernières vingt-quatre heures. Et sans poser trop de questions. Son instinct lui soufflait que Jack s'intéressait à bien plus qu'aux trois cent soixante-quinze dollars offerts. Que lui voulait-il vraiment?

– Vous savez ce qu'est *El Corazón?* lui demanda-t-elle en le regardant de nouveau dans les yeux.

– Pas la moindre idée, répondit-il en détournant aussitôt le regard.

Joan l'observa tandis qu'il retournait vers le camp. Elle ne croyait pas un mot de ce qu'il avait dit. Par élimination, Joan en arriva à la conclusión qu'il n'avait rien à voir avec les ravisseurs et que la *policia* ne l'avait pas envoyé pour l'espionner. Peut-être appartenait-il à la CIA ou au FBI, mais elle en doutait. N'empêche! Il lui faudrait se tenir sur ses gardes, avec lui, et veiller à ne pas lui fournir d'autres renseignements, si tant est qu'elle en détenait. Elle pensa qu'il jouait son propre jeu mais quel était-il, ce jeu? Elle regarda la carte, de nouveau en sécurité dans son sac. Qu'était-ce, au juste, qu'*El Corazón* et pourquoi tant de gens étaient-ils prêts à tuer pour le trouver?

Jack finit d'enrouler le sac de couchage, il ramassa la photo du bateau de ses rêves et la contempla, avidement. Il existait encore une chance...

11

Un perroquet d'un vert-bleu éclatant fondit du ciel et vint se poser sur une branche de cinchona. Il jeta un coup d'œil sur la route de montagne au-dessous de lui, tourna la tête à gauche, puis à droite et se mit à jacasser. A cet instant, un coq de roche au bec orange et aux ailes grises se posa dans un arbre voisin et lui donna la réplique.

Sur la route de montagne, juste au-dessous des oiseaux qui chantaient, garée sous un bosquet de lauriers, se trouvait la Renault décapotable. Elle paraissait vide.

Le bruit d'un hélicoptère, au loin, interrompit les oiseaux qui s'envolèrent à la recherche d'un lieu plus paisible. L'hélicoptère descendit et demeura un instant en point fixe tandis qu'un observateur fouillait le coin de ses jumelles.

En entendant l'hélicoptère approcher, Ralph entrouvrit la portière et se dégagea avec peine du siège arrière, les yeux toujours fixés sur l'hélicoptè-re. Il sortit en hâte de la voiture et referma la portière au moment même où l'hélico venait tourner juste au-dessus de la Renault. Ralph se dissimula dans les broussailles près du bord de la route, priant pour qu'on ne le repère pas. Il savait bien qu'ils tireraient d'abord et ne lui demanderaient qu'ensuite de décliner son identité...

Aussi rapidement qu'il était arrivé, l'hélicoptère remonta et disparut. Ralph se leva lentement, la main en visière au-dessus des yeux. Il recula un peu pour mieux suivre l'engin du regard et fit un pas de trop.

Ses jambes se dérobèrent sous lui tandis qu'il dégringolait la pente. Il se trouva arrêté par un buisson d'épineux et grogna, sachant qu'il lui faudrait des heures pour se sortir de là. Il se demanda si Ira comprendrait.

Dans l'hélicoptère, Zolo, assis sur le siège du passager, revêtu de son impeccable uniforme, une paire de puissantes jumelles autour du cou, pianotait sur le tableau de bord tout en scrutant l'océan infini de verdure au-dessous de lui. Soudain, il crut apercevoir quelque chose sur la route et fit signe au pilote de descendre. Inutile de prendre les jumelles pour identifier la Renault abandonnée. Zolo espéra que les charognards avaient tout nettoyé et prit note de demander à la police locale de récupérer la Renault.

L'hélicoptère s'avança au-dessus de la jungle, rasant le sommet des arbres. Zolo braqua ses jumelles. Partout, la jungle dissimulait les créatures qui y vivaient. Il n'aurait pas été plus ardu de rechercher une minuscule embarcation au milieu de l'océan. Les branches formaient un dais au-dessus du sol. Dans les entrelacs de cette tonnelle immense poussaient des lianes, des plantes grimpantes et des mousses. Un camouflage parfait pour les Américains qui se révélaient de rudes adversaires. Il serra les mâchoires. Il refusait d'admettre sa défaite. Il régla ses jumelles et ordonna au pilote de faire un nouveau passage.

Jack taillait de sa machette dans une zone particulièrement dense. Les heures passant, le matin se faisant après-midi, la pensée de la carte tournait pour lui à l'obsession. Il veillait à ce que Joan ne s'écroule pas derrière lui et, plusieurs fois, il jeta un coup d'œil par-dessus son épaule et lui sourit.

Joan se sentait de nouveau nerveuse, trouvant un peu étranges ses trop fréquents sourires, cherchant à deviner ses pensées : était-ce à la nuit où ils s'étaient trouvés nus dans la rivière ou devant la carte ? Elle se dit qu'elle était idiote de se montrer jalouse d'un morceau de papier, mais c'était ainsi. La seule raison qui la faisait s'accrocher avec tant d'opiniâtreté à cette maudite carte était qu'elle constituait l'unique chance de salut d'Elaine. Une fois Elaine libre et l'une et l'autre de retour à New York saines et sauves, il pourrait l'avoir, ce foutu bout de papier. L'idée qu'il serait alors le gibier et non plus le chasseur la fit sourire. Il s'adapterait vraisemblablement tout aussi bien à ce rôle...

Elle aida Jack à se frayer un chemin dans un endroit particulièrement enchevêtré. Il taillait de sa lame tandis qu'elle déblayait. Jack remarqua ses cheveux blonds qui tombaient en boucles folles et que le soleil soulignait d'or. Vêtue de son sarong et de ce qui restait de son chemisier, elle n'avait plus rien de la Joan Wilder rencontrée deux jours plus tôt.

Deux jours seulement, vraiment ? Toute une vie, lui sembla-t-il.

Joan empoigna solidement la liane et, d'un coup sec, la rejeta sur le côté. En se penchant, il pouvait voir ses seins ronds et pleins. Il eut une folle envie de les caresser. Les muscles de ses longues cuisses au galbe parfait se tendirent tandis qu'elle tirait une autre liane. Il eût aimé les mordiller, les embrasser.

Jack ferma les yeux et secoua la tête, essayant de se débarrasser de ces images. Il lui fallait se concentrer sur son travail et se souvenir que la *policia* était sans doute toute proche.

Jack avait lu un jour que Butch Cassidy et Sundance Kid s'étaient enfuis en Colombie mais qu'une petite troupe locale avait mis fin à leur carrière de hors-la-loi. Jack se demanda si ce n'était pas la même équipe de cinglés qui les poursuivait, lui et Joan... Idiot! Mais peut-être leurs descendants!

Ils arrivèrent enfin dans une zone plus dégagée. Joan regarda nerveusement Jack qui se replongea aussitôt dans son travail, se demandant si elle avait deviné ses peu sages pensées.

– Vous savez... euh... cette carte... Elle se réfère à la province de Cordoba.

– Et alors?

– Alors, on la traverse. Ce clin d'œil du destin ne vous intrigue pas?

– Non, répondit-elle laconiquement.

Elle aurait dû se douter que seule la carte l'intéressait.

– Eh bien, n'avez-vous pas la moindre curiosité? Vous avez une vieille carte! A quoi mènent les vieilles cartes?

– Je m'en fiche! répliqua-t-elle, soudain à bout de nerfs.

– A un trésor! Elles mènent à un trésor. *El Corazón*... ça signifie « le cœur » en espagnol. Votre carte conduit au cœur... mais au cœur de quoi? Au cœur des cœurs? Cœur de pierre? Cœur... d'or?

Se retournant pour juger de sa réaction, il constata qu'elle ne partageait pas son enthousiasme. Son visage paraissait de marbre.

– Si on essayait? dit-il. Trouvons *El Corazón*.

– Vous ne savez même pas ce que c'est!

– Bon Dieu! Ça doit avoir de la valeur! On a la moitié de la Colombie aux trousses!

Joan serra son sac plus farouchement encore, vérifiant la solidité de la courroie.

– Cette carte représente la vie de ma sœur!

– Mettez la main sur *El Corazón* et vous aurez une monnaie d'échange.

Il sut qu'il était allé trop loin.

– Vous vous foutez complètement de ma sœur, n'est-ce pas? Ce qui vous intéresse, c'est du fric vite gagné. C'est bien ça, non? Vous n'êtes qu'un paumé, un vagabond qui erre à travers la jungle pour piquer l'argent des femmes perdues.

– Pas un mot de plus, cria Jack, perdant patience. Je suis là à risquer ma peau pour que vous puissiez secourir cette sœur que je n'ai jamais vue, ignorant tout de ses ennuis, et vous, vous ne m'avez même pas demandé mon nom!

Jack s'éloigna vivement, se pencha sur une grosse liane et passa sa colère sur elle à coups de machette.

– Et quelle froideur, bon sang! Vous êtes la femme la plus froide que j'aie jamais rencontrée. Une pierre, une foutue pierre, oui!

Ces derniers mots frappèrent Joan en pleine poitrine. Elaine, elle aussi, l'avait parfois accusée d'être de pierre. Ne comprenaient-ils donc pas qu'on se sentait plus en sécurité quand on maîtrisait ses émotions? Elle n'était pas parfaite, certes, mais il ne l'était pas davantage. Il lui fallut cependant reconnaître qu'elle se montrait injuste. Si elle avait dû se frayer un chemin à travers la jungle sans lui, que serait-il advenu de la carte, d'Elaine et d'elle-même?

Voilà qu'il se remettait au travail, luttant contre la jungle et contre la montre. Et, pour remerciement, elle lui offrait ses soupçons, son manque de confiance, son impolitesse!

Au moment où elle allait lui dire quelque chose, Joan entendit un bruit de moteur au-dessus d'elle. Elle demeurait plantée là, à regarder le ciel, quand Jack fonça à travers la clairière, l'empoigna par la taille et plongea à l'abri.

Blottis l'un contre l'autre sous les grands acajous aux branches chargées de lianes et de mousse, ils entendaient l'hélicoptère sans le voir. Les pales tournoyaient au-dessus d'eux quand Jack s'aperçut soudain qu'il avait laissé sa machette sur le sol. Le soleil faisait briller la lame d'acier.

Il n'aurait pas fait mieux pour leur signaler leur position s'il leur avait envoyé un télégramme. Jack serra Joan davantage encore.

Dans l'hélicoptère, Zolo ne lâchait pas ses jumelles. Un soldat murmura à l'oreille de son compagnon que si Zolo se penchait davantage, il tomberait de l'hélicoptère, et que les hommes pourraient rentrer chez eux.

Zolo n'entendit rien tant il était absorbé dans sa recherche.

Sans rien dire de ses intentions, le pilote fit virer l'hélicoptère. Ils faisaient demi-tour.

Zolo se tourna vers le pilote :

– Qu'est-ce qui se passe?

– Je crois avoir aperçu quelque chose, répondit le pilote.

Il n'osa en dire davantage. Si Zolo découvrait qu'il s'était trompé, c'en serait fait de lui, avec ce fou.

Zolo se tourna vers le chef de son détachement, un sujet brillant, le seul être humain pour qui Zolo eût jamais témoigné du respect.

– Et toi? demanda-t-il.

L'homme contempla l'océan vert sous eux et haussa les épaules.

– Des arbres, beaucoup d'arbres.

Zolo n'apprécia guère la plaisanterie et décida de casser cet officier de son grade dès leur retour à la base.

Cependant, plaisanterie ou pas, Zolo fut contraint d'admettre que ses soldats venaient de tirer la seule conclusion possible. On ne pouvait rien déceler. Finalement, Zolo admit sa défaite.

– Inutile, dit-il en passant la radio au pilote et en ajoutant : demande nos jeeps.

Jack sentit le bras de Joan l'étreindre avec force. Elle tremblait tandis que l'hélicoptère tournait au-dessus d'eux. Il n'aurait pas aimé lui avouer qu'il avait oublié la machette dans l'herbe. A travers les arbres, Jack put distinguer l'appareil et un homme penché. Décidément, *El Corazón* tourmentait beaucoup de gens. Et si *El Corazón* était, en fait, une couverture pour des documents recherchés par un gouvernement ou un autre et non quelque trésor enfoui? Un risque à courir. Et il n'était pas vraiment certain que Joan lui ait dit tout ce qu'elle savait. Pourtant, ce n'était pas une petite rusée... plutôt l'intellectuelle de bibliothèque, songea-t-il.

Jack, à travers les feuillages, vit l'hélicoptère faire demi-tour et reprendre de l'altitude. Ils partaient! Un miracle! Ce ne fut que lorsqu'il eut disparu que Jack se dégagea. Il se releva.

Joan leva vers lui ses yeux d'émeraude. Elle

n'avait plus grand-chose d'un rat de bibliothèque...

– Comment vous appelez-vous? demanda-t-elle
d'une voix douce.

– Jack T. Colton, répondit-il d'un ton dégagé, se
demandant pourquoi, quand elle le regardait ainsi,
il paniquait et avait une folle envie de fuir.

– Et le T signifie quoi?

– Très digne de confiance, répondit-il tandis qu'il
se remettait en marche.

12

La ponctualité, la régularité avaient toujours favorablement impressionné Joan, mais lorsque le ciel ouvrit de nouveau ses vannes à 15 h 30 précises, elle en hurla presque.

– Il va pleuvoir comme ça tous les jours? cria-t-elle dans le crépitement de l'eau.

– Même horaire, même gare, répondit-il.

Jack tenta de la dérider, lui affirmant que s'ils partaient dans la direction opposée, vers la rivière Atrato, ils arriveraient dans une zone qui recevait près de neuf mètres de pluie par an. Plus de deux centimètres et demi par jour!

Pour la première fois, Joan parut remercier le sort.

Jack avait travaillé comme un fou tout l'après-midi. Parfois, il lui semblait ne pas progresser. Les arbres, les fourrés, les lianes devant lui ressemblaient tant à ceux qu'il venait de dépasser. L'esprit presque vide, il balançait mécaniquement le bras, frappant et taillandant.

Il détestait cette saleté de pluie quotidienne qui ralentissait leur avance. Il perdait pied sur ce sol spongieux. Ses vêtements trempés gênaient ses mouvements.

Jack venait d'attaquer une grosse branche épineuse quand une crampe lui tétanisa le bras. La machette lui tomba de la main. Il se massa, réussissant à décontracter le muscle raidi. Il plia le bras et, la crampe disparue, ramassa sa lame et se remit au travail.

Une demi-heure plus tard, la pluie cessa et Jack finit par vaincre un écheveau de lianes particulièrement rebelles.

Il tomba à genoux, moulu, vidé de toute son énergie.

– On s'arrête? demanda Joan, se penchant sur lui.

Jack pouvait à peine lever la tête, mais elle lut dans ses yeux une fatigue désespérée et furieuse à la fois. Il crispa la main sur la machette et songea un instant à l'utiliser contre Joan Wilder. Il préféra la lancer au loin et elle alla se ficher dans le tronc d'un bananier.

– Je vous en prie, allez-y, lui dit-il, sachant qu'elle tiendrait moins de quinze minutes – vingt au maximum.

Joan lui lança un regard de défi, se dirigea vers le bananier d'un air digne et, saisissant le manche à deux mains, retira la machette d'un seul coup. Puis elle leva l'outil et se mit à le balancer, frappant de droite et de gauche. Elle était heureuse de tourner le dos à Jack : ainsi, il ne pouvait se rendre compte qu'elle n'atteignait que le vide. De nouveau, elle essaya. Et encore. Elle finit par sectionner la haute plante et brandit les branches coupées en se retournant vers Jack.

Il n'eut pas l'air impressionné.

Joan se renfrogna mais se remit à l'ouvrage. Elle se rendait compte de sa maladresse mais elle était bien décidée à y arriver. Depuis deux jours, elle observait Jack et se souvenait de la façon dont il imprimait à son corps un rythme bien défini dans le balancement de ses coups.

Joan imagina qu'elle jouait au golf, levant les bras, s'appuyant fermement sur ses hanches et ses talons. C'était là l'exacte position qui donnait à son bras la force maximum.

Jack, appuyé sur les coudes, admirait la façon dont les hanches de Joan plongeaient, ondulaient et roulaient de droite à gauche. Au bout de cinq minutes, elle offrait le spectacle d'une petite danse très érotique et Jack se demanda si elle était consciente de l'effet produit – non pas sur la brousse mais sur lui.

Il émanait d'elle une grâce naturelle qui lui rappelait quelqu'un... mais qui?

Joan se remit à la tâche, après une pause. Un bruit étrange éveilla leur attention.

Joan s'interrompit et regarda Jack qui se relevait.

– Qu'est-ce que c'est?

– Rien, répondit-il en lui adressant un sourire crispé.

Joan comprit qu'il tentait de la rassurer et cette pensée lui fit chaud au cœur. Elle débarrassa le sol des fragments de végétation, se redressa et poussa un cri!

Là, à hauteur des yeux, se trouvait un crâne humain, un masque dépouillé de toute chair, les orbites vides.

Joan recula, laissa tomber la machette et se cacha le visage dans les mains.

Jack se précipita vers elle. Elle tremblait, incapable de parler. Elle fit un geste du bras et Jack aperçut à son tour la tête de l'homme. Il parvint à maîtriser sa nausée, écarta des lianes et découvrit un squelette à demi sorti du cockpit d'un DC-3 écrasé. L'homme avait dû tenter de s'échapper après la chute de l'appareil et s'était trouvé pris au piège de la jungle. Il était sans doute mort d'hémorragie, à en juger par des taches de sang sur ses vêtements et sur l'appareil.

A l'intérieur de l'avion, Jack découvrit un autre squelette, encore attaché à son siège, vêtu d'une chemise hawaïenne aux coloris vifs, maintenant en lambeaux. Le second squelette était encore plus impressionnant : des yeux semblaient fixer Jack à travers les lunettes d'aviateur. Jack retira les lunettes et se sentit mieux.

Joan le rejoignit, ils se mirent à dégager la végétation qui emprisonnait le fuselage. Ils longèrent la carcasse et découvrirent un trou béant dans la carlingue. A voir la forme du trou et la manière dont le métal apparaissait déchiqueté vers l'extérieur, Jack se demanda si quelque chose n'avait pas explosé à l'intérieur. Mais, après tout, qu'importait maintenant ?

Dans l'appareil, ils découvrirent de mystérieux ballots recouverts d'une sorte de fin tissu et empilés le long du fuselage. Jack posa son sac à dos et se mit à fouiller.

— Qu'est-ce que c'est que tout ça ? demanda Joan après un regard circulaire.

— Tout cela ? De quoi vivre, répondit Jack. (Puis il demanda :) Où est la machette ?

— Je l'ai laissée tomber... dehors...

— Vous l'avez laissée tomber, allez donc la récupérer ! Et pendant que vous y êtes, voyez si vous trouvez quelques bananes.

Elle obéit et sortit de l'appareil. Jack aperçut le sac à main resté à terre. Vivement, il l'ouvrit, farfouilla et trouva la carte.

Cette fois, il l'examina très soigneusement, essayant de garder en mémoire des détails qui pourraient se révéler utiles plus tard. Il identifia plusieurs repères. Le plus important paraissait être « La Fourche du Diable ». Juste à côté d'un croisement, un dessin représentait Satan avec une fourche pointée vers l'ouest. Figurait aussi sur la carte un fragment de poème, des vers qu'il ne comprit pas car c'était du dialecte madrilène et pas du colombien. Les autres routes de la carte paraissaient dessinées de manière fantaisiste et aucune ne portait d'indication claire. Jack décida quand même de mémoriser les syllabes du poème, espérant en obtenir la traduction de son ami José en arrivant à Cartagena. José acceptait de faire à peu près n'importe quoi pour le prix d'une bouteille de rhum.

Jack en était à la moitié du texte, répétant les mots, quand il remarqua une ombre qui s'allongeait devant lui. Les flics! Ils l'avaient découvert et il n'avait pas sa machette pour se défendre. Il retint son souffle, serra les poings et il s'apprêtait à bondir quand, en se retournant, il aperçut Joan debout devant lui, un régime de bananes dans une main et la machette dans l'autre. La machette levée, elle s'apprêtait à l'abattre sur sa tête! Ses yeux flamboyaient de fureur, d'envie de meurtre.

La lame de la machette brilla tandis qu'elle descendait vers la tête de Jack... rasant de près son oreille. Elle atteignit le sol, décapitant un serpent!

Jack se ressaisit, ramassa le serpent et le brandit :

— Il n'était même pas venimeux!

Joan le regarda, écœurée de son ingratitude. Elle se demanda s'il se serait montré aussi sarcastique si

130

le serpent avait été venimeux! Et puis, tant pis ou tant mieux pour Jack Colton! Elle se sentait toute fière de son exploit. Elle eut un petit sourire d'auto-satisfaction, se disant qu'après tout, Joan Wilder ne dépendait pas tellement des autres!

13

Il tombait une légère bruine au-dehors, tandis que, dans l'épave du DC-3, Joan et Jack se réchauffaient devant un feu. Joan regardait monter les volutes de fumée qui disparaissaient par une cheminée de fortune fabriquée par Jack dans le plafond de l'appareil. Les flammes vacillaient et dansaient sur les parois. Il plaça une nouvelle « bûche » – c'est-à-dire un des ballots d'herbe accumulés dans la carlingue.

Jack dépouilla le serpent et embrocha la viande, dressant deux branches en V et plaçant la brochette au milieu. Il semblait fier de révéler ses qualités de cuisinier.

Il plaça une autre bûche d'herbe sur le foyer, provoquant une épaisse fumée qui les enveloppa.

– Voilà ce que j'appelle un feu de camp, dit-il.

– Un peu trop de fumée, vous ne croyez pas ?

Jack aspira une grande bouffée, l'inhalant, la conservant dans ses poumons.

– Ouais, dit-il, toujours sans exhaler. C'est comme ça que je les aime. C'est comme ça que je les aime.

Au moment où il exhalait, il se pencha, prit la

brochette et enfourna une bouchée de viande. Il grimaça en regardant Joan tandis qu'il mâchait.

Joan se sentit elle-même un peu étourdie. Elle avait tellement faim qu'elle aurait mangé, qu'elle allait manger n'importe quoi. Elle tendit la main et, délicatement, prit un morceau.

– Mais c'est fameux! dit-elle. Vraiment fameux!

Jack la regarda prendre un autre morceau et le glisser dans sa bouche. Lorsque leurs yeux se rencontrèrent, il découvrit qu'il ne pouvait détourner son regard comme il le faisait auparavant.

Jack ne savait plus très bien ce qui était le plus enivrant de la fumée de marijuana ou de ces immenses yeux verts qui semblaient le provoquer.

– J'ai toujours admiré les gens comme vous. Qui font ce que vous faites, dit-elle.

Sa voix était si sensuelle qu'il pensa à Ulysse et à ses compagnons face aux sirènes.

– Un paumé, n'est-ce pas? C'est bien comme ça que vous m'avez appelé?

– Je le regrette.

Jack réfléchit un instant, se demandant si elle était sincère ou simplement bourrée de came.

– Que croyez-vous que je fasse? demanda-t-il.

– Vous menez une vie d'aventurier. Probablement dangereuse.

Jack sourit en lui-même, secrètement heureux qu'elle pense cela de lui.

– C'est bien ça. Faut que je vous parle de mes querelles épiques avec les oiseaux. Les cacatoès sont de vrais salopards!

Il plaisantait et Joan était sérieuse. Le monde de Jack était si différent du sien. En revanche, il aurait pu être un des héros de ses livres.

– Oui, mais vivre dans la nature, sans avoir de comptes à rendre à personne, suivre sa propre voie... (Elle s'emballait.) Vous êtes un des derniers de votre espèce.

Jack se sentait gonflé d'orgueil et tout étourdi par la fumée de marijuana.

– Ouais, des comme moi on n'en fait plus.

– Mais quelle est la face cachée de Jack Colton? demanda Joan, songeuse, en l'observant.

Question dégrisante, s'il en fut.

– Je ne vois pas.

– On se sent seul, non?

Il se demanda comment une fille comme Joan, sans expérience de la vie – il l'avait deviné dès les premières minutes – pouvait se montrer si perspicace. Comme cela, d'un coup, elle l'épinglait. Joan Wilder le déconcertait totalement. Toujours il avait pu ranger les femmes dans des catégories bien déterminées et la plupart s'en étaient satisfaites. Mais Joan était différente. Oui, il se le disait une fois encore. Elle avait quelque chose...

Joan se demanda à quoi il pensait. Elle avait peut-être été un peu loin. Pour lui, elle ne représentait sans doute que trois cent soixante-quinze dollars. Peut-être n'était-il pas du tout un homme seul. Peut-être une jolie Colombienne l'attendait-elle quelque part. Que faisait exactement un homme comme Jack Colton en Amérique du Sud? Qu'est-ce qui pouvait pousser un homme à quitter son pays pour aller vivre en pleine jungle? Si elle avait été dans un de ses romans, elle aurait écrit qu'un chagrin d'amour l'avait contraint à se réfugier dans cette solitude sauvage. Même si c'était vrai, jamais un homme comme Jack Colton ne l'admettrait. Peut-être était-il simplement un de ces aventuriers qui détestent vivre douillettement, sagement. Jack était-il un héros ou un homme cherchant sa voie?

— Je crois que je ferais mieux de jeter une autre bûche dans le feu, dit Jack.

— Que faisiez-vous avant de venir ici?

— A votre avis?

— Un clodo de la neige, un fou de ski, répondit-elle après un instant de réflexion et un examen attentif.

Jack laissa tomber la brique d'herbe dans le feu plus tôt que prévu. La bûche roula, manquant mettre le feu à sa manche. A l'aide d'une des brochettes, il la repoussa dans les flammes. Elle vous faisait positivement froid dans le dos à sortir des trucs comme ça! Il se rendit compte qu'il n'avait pu dissimuler sa surprise.

— J'ai toujours mon bronzage de neige, n'est-ce pas?

— Et je parie que vous avez passé pas mal de temps... dans le Colorado.

Cette fois, il se demanda s'il n'avait pas affaire à une sorcière. Si elle faisait la moindre référence au Vermont, il se jura de faire don des quatre sous qui lui restaient à la construction de la nouvelle synagogue de Malibu et d'envoyer un second chèque aux bonnes œuvres de sa mère.

Joan regarda Jack rentrer dans sa coquille tandis qu'elle allait plus avant.

— Une descente à toute allure un jour de cuite, on s'abîme un genou et c'est terminé!

— Eh ben! Vous avez une de ces façons de réduire trente-six ans de vie au plus petit commun dénominateur...

Elle s'était trompée, mais pas de beaucoup.

Elle se pencha vers Jack et l'embrassa sur la joue. Un baiser fraternel, exempt de la passion qu'il avait lue dans ses yeux un peu plus tôt et tout à fait dépourvu de cette crainte de lui dont elle avait témoigné jusqu'ici. Il aimait cela, car cela n'exigeait rien de lui. Un cadeau, c'est tout.

– Jack Colton, merci pour tout... et le serpent était délicieux.

Joan lui tourna le dos et se mit à se confectionner un lit avec les ballots de contrebande. Jamais encore elle n'avait dormi sur un million de dollars et elle se demanda si ce serait confortable.

Jack la regarda étendre ses longues jambes et s'étirer les bras au-dessus de la tête. Puis, après un profond soupir, elle remonta les genoux et se mit en boule. On aurait dit une petite fille à qui il ne manquait que son nounours à étreindre.

La lueur du feu dansait dans ses longues boucles et donnait à ses joues une douceur de pêche. Il savait que depuis plusieurs jours elle n'avait pu se maquiller mais, malgré cela, elle avait les lèvres d'un rose très doux. Elle était belle... Il avait connu bien des jolies femmes... Joan n'était pas comme les autres... Joan, c'était comme...

Et soudain, la révélation. Le feu, la lueur sensuelle dans ses yeux chaque fois qu'elle le regardait, cette manière de vouloir vraiment le connaître et pas seulement par curiosité. Joan lui rappelait Jeannine!

Il y avait chez Joan quelque chose d'un peu désuet, et cependant elle ne s'était pas montrée trop fragile ou exigeante face aux épreuves. Elle savait bien des choses de lui mais elle ne l'interrogeait pas abusivement sur son passé, comme le font la plupart des femmes.

Il aimait cette façon dont elle dépendait de lui sans pour autant abandonner la moindre parcelle de son indépendance. Elle comptait sur lui pour les sortir de la jungle, mais elle donnait volontiers un coup de main quand c'était nécessaire. Il savait l'avoir provoquée plus qu'il n'aurait dû et cependant elle ne s'était pas plainte. Jouant le jeu, elle avait continué, derrière lui ou à ses côtés, l'aidant à se frayer un chemin. Quand l'avait-il remerciée? Certes, c'était elle qui l'avait fourré dans cette panade, mais il devait bien admettre qu'elle avait de bons côtés.

De nouveau, Jack la regarda. Les tisons projetaient sur elle une lueur dorée, la caressant de leur tiédeur. Jack aimait cette douce brume qui lui nimbait le visage. Il se sentit pris d'un irrésistible désir de s'allonger près d'elle et de la prendre dans ses bras.

Il existait, sur cette terre, des êtres foncièrement bons. Ainsi Jeannine, ainsi Joan. Tout ce qu'il pouvait reprocher à cette bonté de Joan, c'est qu'elle lui donnait le sentiment d'être, lui, un pauvre minable.

14

Pendant deux heures, le lendemain matin, Jack tailla leur chemin à travers la jungle tandis que Joan priait pour que cesse son infernale migraine. Jamais plus, se jura-t-elle, elle n'approcherait la marijuana à moins de cinquante mètres. Elle remarqua que Jack ne se moquait pas d'elle; il compatissait, plutôt. Il ne fallut pas longtemps à Joan pour comprendre qu'il souffrait, lui aussi. Joan redevint nerveuse, craignant pour la santé de Jack. Jack se fraya un chemin à travers un dernier fourré et déboucha sur une clairière. Au fond, se dressait une petite éminence. Lorsqu'il annonça qu'ils étaient enfin sortis de la jungle, ils sentirent leur moral remonter mais leur esprit n'en fut pas apaisé pour autant.

Jack grimpa et s'arrêta à mi-chemin. Il annonça :

– J'entends des cloches.

– Vous en entendrez bien d'autres si vous continuez à faire ce genre de feu de camp, répondit Joan en arrivant à sa hauteur.

– Non, non. Ecoutez.

Joan, pour lui faire plaisir, s'arrêta et tendit l'oreille. Elle ne perçut rien et elle allait le lui dire quand une légère brise apporta avec elle le bruit de cloches qui carillonnaient.

Jack attendait sa réaction. Voyant son sourire il lui prit la main et, ensemble, ils se mirent à courir vers le sommet.

Blotti au pied de la colline, là-bas, apparut un village. Par deux fois, Joan ferma les yeux et les rouvrit, n'en croyant pas ce qu'elle voyait. Etait-il possible qu'existât là, au milieu de nulle part, des êtres humains qui vivaient ensemble! Une petite ville, cela signifiait de la nourriture, des douches... et des téléphones!

Pour Joan, la situation était claire : si elle trouvait un téléphone et alertait les ravisseurs, ils viendraient la chercher, elle leur remettrait la carte, Elaine serait libre et tout serait résolu.

Jack la regarda et devina ses pensées. Elle allait avoir du mal à admettre la réalité.

– Regardez, Jack, la civilisation! s'exclama-t-elle en se hâtant de descendre de la colline.

En la suivant, il songea qu'il ne l'avait pas vue aussi excitée, aussi rayonnante.

– Peut-être.

– Peut-être auront-ils un téléphone! s'écria-t-elle en se hâtant davantage encore.

– Possible.

– Ou une voiture.

– Ça se pourrait.

– Et un petit déjeuner!

– Il ne faudrait peut-être pas trop s'emballer, dit-il.

En arrivant au sommet d'une autre colline, ils s'arrêtèrent pile l'un et l'autre. Devant eux s'étendaient en rangées bien nettes des pierres tombales blanches. Chaque pierre avait sa croix à laquelle étaient suspendues, par une lanière de cuir, trois cloches qui tintaient dans la brise.

Ils descendirent.

Joan parcourut les rangées, le son des cloches lui paraissant bien lugubre maintenant. Jack jeta un coup d'œil à la plaque la plus proche : « Gringo ».

Il saisit aussitôt Joan par la main et l'entraîna. Jamais il n'avait aimé les enterrements ni les cimetières, et moins encore maintenant.

Au sommet d'une colline, à la lisière de la jungle, Zolo ordonna à son chauffeur de s'arrêter. Il prit les jumelles de son lieutenant et jeta un coup d'œil au cimetière, en contrebas. Il sourit en reconnaissant les Américains. Bien qu'ils se soient montrés assez malins pour lui échapper dans la jungle, il était plus que jamais convaincu que leur capture était inévitable car il avait prévu et anticipé tous leurs déplacements. Ils ne faisaient pas le poids face à lui, mais il leur devait des félicitations pour avoir rendu la « chasse » aussi attrayante.

Zolo rendit les jumelles à l'un des hommes et ordonna au chauffeur de continuer. Tandis que la jeep s'engageait dans la descente menant au village, le visage imperturbable de Zolo contrastait avec la ferveur cruelle de ses yeux. Il les dissimula de nouveau derrière ses lunettes de soleil.

En approchant du village des cloches, comme l'appelait Joan maintenant, leurs pas se faisaient moins rapides, moins assurés. La ville semblait sortir d'un vieux film de John Wayne ou d'une aventure d'Angelina.

La rue principale, pas très large, n'eût pas permis le passage de plus de deux voitures. Ni cette rue principale ni celles qui en partaient n'étaient goudronnées et, en regardant aux alentours, Joan comprit pourquoi. Apparemment, l'automobile était ici une espèce inconnue...

Des bâtisses de stuc, sans étage, bordaient des trottoirs de planches intermittentes, des bâtisses délabrées pour la plupart, ayant grand besoin d'être réparées. Pas un seul toit intact et les gonds de portes semblaient cruellement faire défaut.

Plus ils avançaient et plus Joan pensait qu'il lui faudrait réviser sa conviction de marcher enfin vers la civilisation. Pas de bouches à incendie, ni de caniveaux ni de cabines téléphoniques. Quant à l'électricité, Joan commençait à douter sérieusement de son existence. Elle allait en conclure qu'il s'agissait d'une ville fantôme quand elle aperçut un petit groupe d'hommes tapis dans l'entrée de ce qui semblait être la taverne locale.

Pas rasés, les cheveux hirsutes, en chemises sales et jeans délavés, ils la regardaient, les yeux vides. Un homme au visage ridé, à la barbe grise, mâchait un cure-dent de bois et, lorsque Joan le regarda, il cracha le cure-dent sur le sol et l'écrasa du talon de sa botte.

Devant un bâtiment bizarre, des chevaux étaient attachés un peu au hasard, maigres et pauvrement équipés. En remontant la rue, Joan remarqua de petits groupes de deux ou trois hommes sous l'un ou l'autre porche. Du coin de l'œil, elle vit que certains portaient des armes dans des étuis d'épaule ou glissées dans la ceinture. Frissonnante, elle se redressa et pressa le pas.

Jack n'appréciait pas la tournure prise par les événements. Ces hommes vivaient en marge de la loi et Joan et lui avaient autant à craindre des habitants de ce village que de la *policia*. S'ils devinaient quoi que ce soit...

Jack prenait bien soin de regarder droit devant lui, sans tourner la tête vers les hommes tapis dans les entrées des maisons. Il voulut cependant s'assurer que Joan se trouvait bien derrière lui, toute proche.

Avec son sac qu'elle tenait serré sur la poitrine, elle n'aurait pu annoncer plus clairement qu'elle transportait quelque chose de précieux. Elle sourit à l'un des hommes, sous un porche, qui lui retourna un regard sinistre. Son voisin paraissait s'intéresser davantage aux jambes de Joan qu'à son sac.

– Sympathiques, non? murmura Joan.

– Des trafiquants de drogue. Essayez de prendre l'air méchant.

Jack observa Joan tandis qu'elle tentait de se composer un « visage méchant. » Un désastre! Jack en gémit.

– Au moins, taisez-vous, grogna-t-il.

Alors qu'ils remontaient la rue, Jack se rendit compte que Joan représentait son plus gros handicap. Vêtue de son sarong et de ce qu'il restait de son chemisier, il se demanda quand l'un ou l'autre allait lui sauter dessus. A leurs regards, on devinait que la plupart d'entre eux n'avaient ni vu ni eu de femme depuis des mois. A une certaine époque, Jack aurait jugé ridicule l'idée de défendre un jour l'honneur d'une femme, considérant que ce genre de conduite avait disparu avec la guerre de Sécession. S'il en jugeait par ce qu'il s'apprêtait à faire, il n'en était rien. On pouvait encore se montrer chevaleresque en Colombie, Amérique du Sud.

Joan lui obéit, respirant à peine, regardant droit devant elle, évitant soigneusement de regarder les visages de ces hommes qui la lorgnaient. Il fallait qu'elle marche, qu'elle marche sans s'arrêter. Elle tenta même, sans y parvenir, de prendre un air dégagé. Son compagnon se rendait-il compte de sa peur?

Jack jeta un coup d'œil par-dessus son épaule et aperçut, à une quarantaine de pas, l'une des épaves humaines qui les suivait. Jack poursuivit son chemin, espérant qu'il ne s'agissait pas là d'un des citoyens les plus en vue de la ville, sans quoi ils se préparaient de gros ennuis.

Quelques instants plus tard, Jack jeta un nouveau coup d'œil. Cette fois, un autre homme s'était joint au premier, mais ils gardaient leurs distances.

Joan regarda Jack qui transpirait nerveusement.

– Vous savez où on va?

Jack se retourna : maintenant, ils étaient quatre à les suivre, patibulaires.

– Droit devant, répondit-il d'un ton rude, accélérant le pas.

Au coup d'œil suivant, ils étaient six, ressemblant à s'y méprendre aux renégats de la bande de Pancho Villa.

– Qu'est-ce qui se passe? demanda Joan.

– Rien, rien!

Joan s'arrêta pile, mit les mains en porte-voix et lança avec la même désinvolture que si elle s'était trouvée dans son quartier à New York :

– On cherche une voiture, c'est tout!

Puis elle sourit et leur fit un petit geste gentil de la main.

Silence de mort dans la rue et Jack se demanda un instant s'ils allaient l'abattre avant ou après avoir violé Joan.

L'un des hommes s'avança et, d'un doigt maigre, désigna une rue latérale qui grimpait vers une colline :

– Une seule voiture dans le village. Juan... le fondeur de cloches.

Un instant, Jack crut que Joan allait serrer la main de l'homme et le remercier du renseignement. Par bonheur, elle n'en fit rien et prit la direction de la maison. Jack n'aurait pu dire si elle avait des nerfs d'acier ou si elle était tout bonnement idiote.

En approchant de la demeure, Joan se rendit compte qu'il s'agissait d'une église abandonnée, encore plus délabrée que les autres maisons de la ville.

Autour de l'église, le sol était jonché de moules d'argile brisés, utilisés autrefois pour couler le bronze des cloches. L'herbe épaisse qui les entourait leur conférait un air de fleurs fossilisées.

— Pourquoi ne pas vous calmer? demanda Joan qui, pour la première fois, trouvait Jack inutilement nerveux.

— J'ai entendu parler de ce type. Rien de bon à en attendre.

— Le fondeur de cloches?

— Quoi qu'il arrive, pas un mot sur ce qui nous a servi à faire notre feu hier soir.

— Quoi?

— L'avion dans lequel nous avons dormi... c'est probablement une de ses cargaisons perdues.

— Vous voulez dire que c'est un...

— Taisez-vous!

Ils contournèrent l'église et se dirigèrent vers les installations délabrées. A côté du bâtiment principal, Joan aperçut deux abris branlants, des remises d'outils et de matériel sans doute. Entre la maison et les petits abris, une bâtisse plus importante, de la taille d'une grange. Tout le coin était clôturé mais la clôture elle-même apparaissait d'une efficacité discutable vu l'effondrement de la plupart des piquets et le nombre de planches manquantes.

En approchant vers la maison, Joan fut frappée par le contraste entre une sorte de judas flambant neuf et la porte elle-même, délabrée, à la peinture écaillée. Le judas s'ouvrit dès que Jack eut frappé.

– *Buenos dias*, dit Jack nerveusement.

– Qu'est-ce que vous voulez, *gringo* ?

– Euh, nous avons entendu dire que vous possédiez une voiture. Nous souhaiterions la louer... ou l'acheter.

– Pourquoi ? demanda la voix éraillée.

– Pour aller quelque part... atteindre une ville.

– Et dans quoi je vis, alors ? Une porcherie ?

– Non, non, non. Je voulais dire...

Jack se sentit la gorge sèche en voyant apparaître par le judas un Colt Navy, calibre 45, six coups. Il prit conscience qu'il venait de commettre une entorse à l'étiquette locale. On arma le revolver.

– *Vaya con Dios*, *gringo*, dit la voix avec un rire sinistre.

Jack recula, la main sur sa poitrine en signe d'excuse.

– Okay. Merci quand même.

Jack se tourna vers Joan. Elle regardait le sinistre petit groupe approcher.

– Oh, mon Dieu...

– Parfait, fit Jack. A vous de jouer. Retournez leur parler, Joan Wilder. Tirez-nous de là !

Le Colt 45 disparut.

– Joan Wilder ? Joan Wilder ? demanda la voix éraillée. (Jack, stupéfait, vit la porte s'entrebâiller.) La *célèbre* Joan Wilder ?

La porte s'ouvrit complètement, révélant un assez beau garçon, de taille moyenne, la trentaine, vêtu d'une chemise hawaïenne bariolée et portant des lunettes de soleil.

Jack songea immédiatement au squelette de la

cabine et sut qu'il ne s'était pas trompé sur le fondeur de cloches. Il n'était pas idiot.

– Vous êtes Joan Wilder, la romancière?

– Oui, c'est bien moi, répondit Joan, plutôt surprise.

– Je lis tous vos livres, j'adore vos livres. Entrez, entrez.

Jack fut stupéfait de l'accueil et plus encore de ce nouveau renseignement concernant sa compagne de voyage.

– Joan Wilder est la plus grande des romancières, déclarait leur hôte en claquant la porte, et mettant ainsi un terme à la menace qui planait sur les voyageurs.

Joan soupira de soulagement mais Jack craignit d'être tombé dans un nouveau piège, un piège peut-être définitif.

15

Les craintes de Jack s'apaisèrent lorsqu'il eut parcouru la pièce du regard, une pièce qui ressemblait à la salle de presse qu'on trouvait chez les amis de son père, producteurs de films à Malibu. Une sorte de duplex avec un plafond à poutres apparentes et tout un ensemble de galeries et de balcons à l'étage. En bas, une télévision avec écran géant, un matériel stéréo dernier cri, avec pupitre et huit haut-parleurs répartis dans toute la salle. On y découvrait aussi un magnétoscope, une Intellvision, deux machines à sous et trois jeux vidéo dont le *Donkey Kong* et les *Space Invaders*. Dans un coin, un juke-box Wurlitzer 1950 et, plus loin, un espace dégagé au milieu duquel trônait un billard de huit pieds.

Une épaisse moquette verte et des canapés de moire couleur pêche décoraient la pièce. Des étagères vitrées abritaient des livres reliés cuir, des sculptures de bronze et des vases Ming. Sur le mur, derrière un ensemble de bergères de velours vert, était suspendu un tableau de Frederic Remington. Avec son doux éclairage d'ambiance, la pièce apparut à Jack la plus accueillante qu'il ait jamais vue. Il ne manquait que la vue sur l'océan et

Jack devina que son hôte avait déjà dû en passer commande.

Joan se livrait mentalement à une critique des lieux quand elle se souvint soudain de l'endroit où elle se trouvait. Cela avait dû coûter une fortune.

– Z'avez lu *les Ravageurs?* demandait leur hôte à Jack. Cette femme, oh, elle me rend fou.

Le visage de Jack refléta une perplexité que Joan ne fut pas certaine d'apprécier.

– Non, je n'ai jamais...

– Jamais? demanda Juan, prenant le livre de Joan sur une étagère. Tenez, lisez-le, prenez-le.

Jack regarda la couverture et admira l'œuvre d'art : la photo d'une femme dans une pose assez impudique, les seins presque dénudés, tandis que glissaient de ses épaules un corsage indo-bohémien. Retournant le livre, il découvrit la photo de Joan. Les cheveux tirés, très peu maquillée, elle était assise dans un fauteuil à haut dossier, en pantalon de velours sombre et en pull à col roulé. Elle n'avait rien d'une romancière célèbre.

C'est elle qui a écrit ce livre, songea-t-il en jetant un nouveau coup d'œil sur la couverture. Et tous ces autres, aussi... Il la regarda, debout à côté de Juan qui lui montrait fièrement sa collection des œuvres complètes de Joan Wilder. Incroyable qu'il s'agisse de la même personne : cette longue fille aux jambes tentatrices en tenue plus que légère, là devant lui, et la romancière austère de la photo. Il en fut surpris mais pas choqué : il le savait, elles ne faisaient qu'une seule et même femme...

Juan continuait à bavarder :

– *Les Ravageurs, Les Cruels Baisers de l'Amour.* J'attends avec impatience *Le Retour d'Angelina.* Et vous voilà ici, en Colombie! Je vous offre un verre? J'ai du Jim Bean, du Jack Daniel, tout ce que vous voudrez. Que voulez-vous, Joan Wilder? Un Jacuzzi? De la musique?

Juan se dirigea vers une console qui avait tout du tableau de commandes d'un 747. Il pressa un bouton et la pièce se trouva baignée de musique.

Joan gratifia son hôte d'un sourire reconnaissant :

— En fait, je souhaiterais surtout passer un coup de fil.

— Pas de téléphone, pas de téléphone, répondit Juan en secouant la tête. Je hais les téléphones. Prenez un verre, faut tenir le coup.

Il l'escorta jusqu'à un immense bar aux cuivres éblouissants. Joan prit place sur l'un des tabourets rembourrés tandis que Juan exposait fièrement sa collection : verres à cognac en Waterford, verres à pied florentins cerclés d'or et grands gobelets mexicains en argent massif.

— Et j'ai toutes les bières, reprit-il, même de la Heineken.

— Vous avez de la Heineken? demanda Jack dont le visage s'éclaira. Vraiment?

— Juan, où y a-t-il un téléphone? demanda Joan dont l'impatience croissait.

— Je prendrai une Heineken!

Il n'en avait pas bu depuis trois ans et il voulait bien être pendu s'il ratait cela.

Juan lui tendit une boîte de bière sortie glacée de son bar-réfrigérateur sur mesure.

— Le téléphone se trouve à plusieurs kilomètres d'ici, déclara Juan.

Joan soupira et regarda Jack. Il avait les yeux fixés sur son sac qu'elle avait posé sur le bar. Elle le ramassa vivement et assura la courroie sur son épaule.

Ainsi donc, pensa Jack, sa compagne était toujours convaincue qu'il n'en voulait qu'à son argent et à sa précieuse carte! Histoire de la faire enrager, il se tourna vers Juan et lui demanda :

– Dites-moi, vous avez une machine à photocopier dans le coin?

– Ouais, mais elle est cassée.

Joan se sentait furieuse contre Jack. Apparemment, elle était la seule qui s'inquiétait encore de sauver la vie d'Elaine. Si elle laissait faire Jack, il s'installerait ici, buvant à longueur de journée, évoquant avec Juan aventures et trafics de tout genre.

– Ecoutez, Juan. Pourriez-vous nous y conduire... avec votre voiture?

– Qui vous a dit que j'avais une voiture?

– Les hommes du village.

– Ils ont dit ça? C'est des rigolos. Ils voulaient dire mon petit mulet.

Jack posa son verre en voyant l'air navré de Joan. Il n'avait plus soif, soudain, de sa Heineken.

Au bout de la rue, deux jeeps gris foncé et noir s'arrêtèrent, des jeeps spécialement équipées de huit cylindres à injection et pour lesquelles Zolo avait précisé, lors de leur construction, qu'il voulait une répartition du poids à 51/49. Aussi les véhicules possédaient-ils un freinage et une accélération remarquables. Elles pouvaient, départ arrêté, atteindre les 100km/h en un peu plus de sept secondes, avec une vitesse de pointe de 225km/h. Rien d'étonnant que Zolo arborât un sourire triomphant en pénétrant dans la ville.

Son détachement avait reçu un renfort de quatre hommes, maintenant vêtus de l'uniforme spécial de l'escadron de la mort et équipés, chacun, de fusils d'assaut et de gaz lacrymogènes.

Zolo ordonna au chauffeur de s'arrêter devant la *cantina*. Une femme sans âge, lourde et débraillée, était assise devant l'entrée. Zolo et deux de ses hommes sautèrent de la jeep et se dirigèrent vers elle. Les deux hommes se plantèrent de part et d'autre de la femme tandis que Zolo inspectait l'intérieur de la *cantina* : complètement vide.

– *Gringos, Americanos*, demanda Zolo en regardant la femme.

Celle-ci secoua la tête. Aussitôt, Zolo lui saisit le bras et, d'une poigne vigoureuse, jeta la femme à l'intérieur. Ses bottes martelèrent le bois pourri tandis qu'il pénétrait derrière elle.

Les hommes de la jeep attendirent en silence. Aucun d'eux ne sourcilla lorsque leur chef ressortit, demanda un mouchoir sur lequel il essuya le sang de son stylet et lança :

– Chez le fondeur de cloches.

16

Furtivement, Zolo et ses hommes encerclèrent les bâtiments délabrés. Sur l'ordre de leur chef, ils pointèrent leurs armes sur le bâtiment principal puis attendirent que Zolo abaisse sa main gantée : le signal d'ouvrir le feu.

Zolo allait lever la main quand...

Les portes vétustes d'une resserre furent arrachées de leurs gonds sous le poids d'un camion Bronco à super-compresseur qui fonça en rugissant sur Zolo et ses hommes.

Le Bronco – muni d'une batterie de phares supplémentaires placés sur le toit et portant les mots LE PETIT MULET sur sa portière – chargea deux soldats et les balança dans le fossé. Puis il s'éloigna à toute allure, se livrant à un tel gymkhana que les fins tireurs de Zolo le manquèrent.

Zolo et ses soldats se ruèrent dans leurs jeeps et tirèrent salves sur salves sur le Bronco qui disparaissait.

Coincée, écrasée entre Jack et Juan qui conduisait, Joan ouvrait des yeux hagards. Le Bronco roulait vers l'extrémité de la ville dans un hurlement de pneus.

Juan, en gants Ferrari, fit virer le Bronco et prit

une route étroite et poussiéreuse à la sortie de la ville, évitant de justesse un feu de barrage. Joan, se retournant, vit que les jeeps gagnaient sur eux.

– Regardez là-bas, dit Juan calmement, là-bas à côté de la barrière. C'est là qu'est née ma mère.

Joan et Jack échangèrent un regard incrédule tandis qu'une nouvelle volée de projectiles rasait le véhicule.

– Et le troisième arbre là-haut! C'est mon frère qui l'a planté.

Incroyable! pensait Joan. Ils roulaient à tombeau ouvert, sur un terrain défoncé, à près de 160 km/h tandis que des policiers fous leur tiraient dessus et Juan leur faisait faire le tour du propriétaire!

– Ce type est encore plus fou que moi! dit Jack à Joan.

– Oh, ça c'est Lupe's Ridge. Et, là-bas, Lupe's Long Walk.

A cet instant, Juan accéléra encore et ils décollèrent, bondissant littéralement par-dessus une crête. Le Bronco rebondit encore trois fois en atterrissant, jetant Joan hors de son siège et l'envoyant cogner le pare-brise de la tête. Juan grommela des excuses et accéléra de nouveau, fonçant vers un bosquet d'arbres. A la dernière seconde, il vira sèchement, évitant les arbres et revenant dans le pré.

– On était à l'abri! Là, dans ces arbres! dit Jack en regardant derrière lui.

– Je voulais vous montrer ce champ, dit Juan, en désignant une étendue sur sa gauche. C'est là qu'en 1850 mes ancêtres ont vaincu les Paragucchis et obtenu le droit d'irriguer les terres.

Lorsqu'une balle atteignit la porte du côté de Jack, il faillit bondir et arracher le volant des mains de Juan. Il réussit à se maîtriser.

Juan ouvrit la boîte à gants, en retira une cassette et dit, se tournant vers Joan :

– La musique d'Angelina.

Et, au son de l'entraînante musique, Juan remit les gaz et le Bronco s'enfonça dans l'herbe haute.

Jack, dans le rétroviseur, aperçut la jeep de Zolo qui décollait de la crête, atterrissait et reprenait sa poursuite.

Joan, les articulations blanchies, s'agrippait au tableau de bord tandis qu'ils fonçaient dans les herbes, plus hautes maintenant que le camion lui-même.

L'une d'elles, pénétrant par la vitre baissée, frappa Jack à la joue et se brisa. Terrifiés, ils virent Juan porter l'épi à son nez. Il le renifla calmement et dit :

– Je crois que ma récolte est proche.

Peut-être Jack avait-il raison, se dit Joan. Peut-être Juan était-il fou. Elle se serait sentie beaucoup mieux, si Jack avait pris le volant.

Tel le cheval sauvage dont il portait le nom, le Bronco se dégagea du champ comme sous l'effet d'une ruade, grimpa une colline puis redescendit à fond de train une pente abrupte avant de s'engager dans un sentier étroit. Si incroyable que ce fût, les jeeps le suivaient de près.

Jack se rendit compte qu'il ne s'agissait pas là de jeeps ordinaires et sentit la panique le gagner.

Juan accéléra encore et le Bronco s'engagea en rugissant en terrain plat et sec. Apparemment, ici, il n'avait pas plu depuis des mois. Le Bronco laissait derrière lui un nuage de poussière. Et Jack, les yeux agrandis par l'horreur, aperçut une rivière droit devant.

– Vous voyez cette rivière ? demanda Juan.

– Celle où il n'y a pas de pont ?

– Deux cent quarante-cinq affluents, expliqua Juan.

– Que voulez-vous dire par « celle où il n'y a pas de pont »? demanda Joan, affolée.

Juan, continuant sa visite guidée, ajouta :

– Elle se jette tout droit dans l'Amazone.

Jack agrippa le bras de Joan et répéta à son intention :

– Celle où il n'y a pas de pont!

Juan accéléra, pied au plancher, faisant hurler le moteur.

– Cette rivière est la principale source d'alimentation en eau de nombreux villages, continua-t-il.

Le Bronco approchait à toute allure de la rivière et Jack, n'y tenant plus, demanda :

– Juan! Où allez-vous, bon Dieu?

– A Lupe's Escape. Et ce n'est pas la première fois!

Juan sortit de sous son siège un gadget électronique qui ressemblait à une commande d'ouverture automatique de porte de garage. Il la pointa droit devant lui et appuya sur le bouton.

Sortant des buissons qui la camouflaient, une petite rampe métallique s'éleva de la rive, portée par des vérins hydrauliques géants. Le mécanisme produisit des grincements stridents.

Juan remit les gaz et Joan sentit son cœur bondir. Ne pouvant voir la rampe, elle était certaine qu'ils couraient à la mort. Elle agrippa le bras de Jack, se disant que son ultime sensation serait celle de son corps contre celui de Jack.

La rampe déployée, le Bronco s'y engagea en vrombissant et la parcourut sur toute sa longueur, soit environ les trois quarts de la rivière. Avec un dernier coup d'accélérateur, le Bronco franchit d'un bond le dernier quart et atterrit sur la rive opposée.

Juan s'arrêta pour regarder les jeeps arriver en vrombissant. Le chauffeur du véhicule de tête rétrograda, hurla à ses hommes un « Accrochez-vous » puis accéléra à fond.

A cet instant, Juan sortit son gadget, le pointa vers la rampe et appuya sur le bouton. L'extrémité de la rampe la plus proche de la rive se replia avant que la jeep ait le temps de freiner. Elle s'écrasa sur la paroi métallique. Quatre des hommes de Zolo, impeccablement sanglés dans leurs uniformes, s'envolèrent par-dessus la rampe et, après une spirale parfaite, tombèrent dans la rivière.

Juan se tourna vers Jack avec un grand sourire :
– Ouais, Lupe a servi jadis dans le Génie. Un sacré mec !

Joan, soulagée d'avoir échappé à la mort, stimulée aussi par la course éclata d'un rire rauque. Impulsivement, elle se tourna vers Jack, lui jeta les bras autour du cou et l'embrassa. Elle se rendit soudain compte qu'elle réalisait enfin ce dont elle rêvait depuis deux jours. Les lèvres de Jack étaient douces et sensuelles et lorsqu'il lui rendit son baiser, elle se sentit fondre. Jamais un homme ne l'avait ainsi embrassée !

Il l'avait attirée et elle sentit le moment exact où le cœur de Jack se mit à battre plus vite. De sa langue, il lui ouvrit les lèvres, les caressa, s'aventurant davantage. Il lui sembla qu'ils vibraient à l'unisson et lorsque, à regret, il se dégagea, lui souriant, elle en fut certaine.

La jeep de Zolo s'arrêta au bord de la rivière dans un grincement de freins. Il se leva, demanda ses jumelles et scruta l'autre rive. Le Bronco s'éloignait

156

à toute allure. Cette fois encore, les Américains avaient mis en échec ses jeeps sophistiquées, ses armes mortelles et – le plus humiliant – ses qualités de stratège. Plus que jamais, il se jura de prendre sa revanche, mais au lieu de leur accorder une mort rapide, par balle, il les torturerait lentement, tout comme ils le torturaient en ce moment.

17

Le pic Cristóbal Colón était le plus haut de la chaîne de la Sierra Nevada de Santa Marta, mais Joan Wilder se sentait planer plus haut encore. Même durant la nuit passée près du feu de marijuana, elle n'avait ressenti un tel vertige, une telle ivresse. Ils avaient failli mourir là-bas près de la rivière et voilà qu'elle était toute prête à courir de nouveau le risque.

Elle se baissa, cueillit une fleur rose et la huma. Une odeur de jasmin... N'était-ce pas là le côté merveilleux de la vie ? On pouvait se trouver perdue dans un pays lointain et sauvage, poursuivie par des tueurs, et cependant on pouvait s'enchanter du parfum d'une fleur sauvage. Au bord de la route, elle leva la tête, offrit son visage et ses cheveux à la caresse du vent.

Joan avait aimé cette course-poursuite et la façon dont Juan avait, de manière déconcertante, sauvé la situation. Juan lui faisait penser à un de ces princes arabes, vivant dans une splendeur moderne en plein désert, faisant surgir de nulle part de magiques tapis métalliques.

Elle porta ses doigts à ses lèvres, y sentant encore la caresse de Jack, caresse tout à la fois magique et bien réelle. Elle aurait voulu que la traque dure à jamais pour n'avoir pas à payer Jack et à le quitter. En cet instant, elle pouvait encore feindre de croire qu'il était là pour elle et pas pour l'argent... ou la carte. Certes, il voulait cette carte, elle avait maintes fois surpris son regard avide sur son sac. Elle voulait croire cependant que son honnêteté l'empêcherait de briser leur confiance. C'était demander beaucoup à une relation vieille de trois jours, mais cette fois elle se fiait à son instinct, dont elle avait découvert qu'il constituait un atout précieux.

Elle tenta de ne pas trop s'emballer : peut-être demain la quitterait-il pour toujours; même si elle représentait pour lui plus qu'un peu d'argent, cela ne signifiait pas pour autant qu'il y avait un avenir pour eux. Mais au diable demain!

Abandonnant son corps au vent, elle savourait les instants passés ensemble comme elle savourerait les quelques heures qu'il leur restait.

Jack la regarda suivre le bord de la route comme un funambule sur son fil, rayonnante d'une vie essentielle. Superficiellement, c'était lui dont l'existence avait été la plus riche en expériences, en expériences dangereuses, parfois. Et pourtant...

Il regarda la jaquette du livre puis, de nouveau, la femme aux vêtements déchirés, aux longs cheveux caressés par le vent. Joan en savait sur la vie plus qu'il n'en saurait jamais parce qu'elle osait risquer ses sentiments. Pendant des années, il avait refusé d'avouer – et surtout de s'avouer – qu'il était venu en Amérique du Sud pour fuir le monde.

Il avait essayé de se convaincre de toutes les manières, se disant que sa vie passée était dépourvue de sens, qu'il adorait les dangers de la vie sauvage de la jungle. Dans ses instants de mélancolie, il se demandait si, dans son subconscient, il ne manifestait pas des tendances suicidaires.

Aspirant à rentrer aux Etats-Unis, il s'était dit que c'était le luxe qui lui manquait. Il s'était même convaincu que le bateau de ses rêves comblerait ses désirs, résoudrait ses problèmes. Il lui fallait bien admettre cependant que chaque fois qu'il contemplait l'image de son yacht, c'était une femme qu'il voyait, une femme sans visage, une femme aimante. A trente-sept ans, il n'avait personne avec qui partager sa vie. Bien plus, il ne faisait partie de la vie de personne.

Il se demanda si Joan consentirait à rester avec lui en Amérique du Sud. Non, on l'attendait : elle avait une famille, des amis, un travail.

Ses yeux rencontrèrent le regard de Joan, son sourire. Bon sang! Etait-elle consciente de ce qu'elle provoquait en lui? Ce n'était pas seulement déloyal, mais inhumain!

Joan Wilder était vraiment une femme unique, aux facettes si nombreuses qu'il doutait qu'une vie entière suffise pour les apprécier toutes. Et il se demanda s'il était un homme fait pour elle, digne d'elle. Il devait au moins se réjouir de l'avoir rencontrée. Il savait qu'il la maudirait parfois pour lui avoir fait découvrir qu'il existait encore de par le monde des êtres comme Jeannine... et comme elle...

Tandis que Joan contemplait le paysage, Juan continuait de jacasser :

— De l'autre côté de cette montagne, la rivière devient sauvage, avec des chutes, des rapides... Le pays d'Angelina, n'est-ce pas, Joan?

— Qu'est-ce qui est arrivé à Lupe? demanda Joan.

— Aïe! Aïe! Déception terrible pour la famille!

La voix de Juan parut soudain plus lointaine et Jack découvrit qu'il se dissimulait derrière un arbre. Quelque besoin pressant, sans doute. Jack quitta des yeux le tronc pour regarder, plus haut, les trois branches qui formaient une sorte de fourche. Joan cueillait toujours des fleurs, continuant à s'adresser à Juan.

– Une déception? J'imagine... disait-elle.

Juan revint vers elle :

– Il est entré dans les ordres.

Jack ne pouvait quitter l'arbre des yeux. C'était la fourche de Satan! L'arbre de la carte de Joan! Ainsi donc le trésor était tout proche...

– J'ai pris sa suite, dans les affaires, continuait Juan. J'ai bien travaillé. Je suis un homme prudent. Lui, il aurait pu finir pendu à *Tenedor del Diablo*. (Il montra l'arbre.) C'est ce qui arrive aux *bandidos*.

Jack jeta un coup d'œil rapide vers Joan qui, s'approchant, examina l'arbre.

– *Tene*... quoi? demanda-t-elle.

– *Tenedor del Diablo*.

Jack sentit comme une sueur froide sur tout son corps.

– Oh! dit Joan en se détournant.

Jack laissa échapper un soupir. Elle n'avait pas fait le rapprochement! Si seulement il pouvait mettre la main sur...

Juan tira Jack de ses pensées en lui arrachant le livre qu'il tenait toujours.

– Oh, Joan! J'ai failli oublier... (Il paraissait soudain tout timide.) Vous voulez bien...

Joan lui sourit et sortit un stylo de son sac.

Jack se mit à marcher de long en large tandis qu'elle écrivait sa dédicace. De nouveau, il regarda l'arbre, puis le sac. Il lui fallait s'emparer de la carte et en faire une photocopie. Il était indispensable qu'il sache ce que ces vers signifiaient, indiquaient sûrement...

A cet instant, Juan saisit Jack par le bras, l'entraînant vers le Bronco.

— Je regrette de ne pas pouvoir vous conduire à Cartagena même. Mais dans cette ville, et au delà, je suis un homme recherché.

— Vous avez été merveilleux. Ce sera parfait ainsi, vraiment, dit Joan reconnaissante.

— Mais, le matin, il y a toujours un bus. Il vous y amènera.

Jack fut le dernier à grimper dans le Bronco et, avant de refermer la portière, il jeta un ultime regard à *Tenedor del Diablo*.

18

On avait enchaîné les fins poignets d'Elaine aux bras dorés d'un fauteuil Louis XVI. Elle se sentait déconcertée par le comportement bizarre de son ravisseur. On lui avait servi les mets les plus recherchés – salade de fruits tropicaux, croissants français et café exquis pour le petit déjeuner et, au dîner, roulade de bœuf et pilaf à l'espagnol – et, malgré cela, Ira ne relâchait pas sa surveillance : pas question pour elle d'aller prendre un bain. Elle avait joué avec lui aux échecs, au backgammon et au rami, mais bien qu'existât à bord une bibliothèque bien garnie, il ne lui permettait pas de lire. Elle se demanda s'il n'était pas un peu schizophrène.

La plupart du temps, il la traitait avec la déférente sympathie d'un hôte soucieux du confort de son invitée. A d'autres moments, sarcastique, il la terrorisait par ses allusions aux crocodiles qui pataugeaient dans le marécage juste au-dessous du cargo ou encore il lui rappelait que si Joan ne livrait pas la carte, il dirait à Ralph de la tuer d'abord et de rapporter la carte ensuite.

Par Ira, Elaine apprit comment son mari s'était trouvé mêlé à des affaires de contrebande. Bien des années plus tôt, Eduardo avait fait faillite avec sa première affaire et il s'était retrouvé couvert de dettes, les sociétés de crédit lui fermant leurs portes. Eduardo était allé trouver Sol, l'oncle d'Ira, un requin d'usurier. Eduardo avait payé ses dettes et ouvert sa librairie. Il parvenait à payer régulièrement ses mensualités à Sol. L'arrangement convenait à l'un et à l'autre.

Lorsque arriva la récession et que la vente des livres baissa, Eduardo se rendit compte qu'il ne pouvait plus tenir ses engagements. Sol « persuada » Eduardo de se joindre à ses trafics, exprimant des inquiétudes pour la sécurité d'Elaine, affirmant qu'il pourrait bien lui arriver un « accident ». Eduardo n'eut d'autre choix que d'accepter.

Elaine jugeait Ira écœurant et cupide, mais elle fut heureuse, cependant, d'apprendre par lui la vérité sur Eduardo.

Il l'avait aimée, avait voulu la protéger. Mais il avait pris une peu judicieuse décision le jour où il était allé trouver Sol. Elle se demanda si l'orgueil l'avait empêché de s'adresser à sa famille ou si, l'ayant fait, il s'était heurté à un refus. Quel désespoir avait dû être le sien pour qu'il accepte d'être le complice de pareils criminels!

La sonnerie du téléphone tira brutalement Elaine de sa rêverie. Ira décrocha et parla d'abord d'une voix étouffée, empêchant Elaine d'entendre. Il demeura silencieux un long instant puis se mit à hurler.

— Ralph, de tout ce que tu pouvais m'annoncer, c'est ce « je l'ai perdue » qui va te coûter le plus de dents cassées!

Ralph se trouvait dans une cabine téléphonique de Fiesta Town, les vêtements en loques, épuisé, affamé et furieux.

— Je vais te dire un truc, Ira! Je ne t'aime pas. Je

ne t'ai jamais aimé. Je n'aime pas ta façon de penser. Je n'aime pas ta façon de t'habiller. Je n'aime pas la façon dont tu te coiffes avec cette raie au milieu de ton crâne d'œuf... Encore une chose, Ira... (Ralph s'arrêta un instant pour regarder, de l'autre côté de la rue, Joan et Jack descendre du Bronco devant le *Grande Hotel*, serrer la main de Juan et le saluer d'un geste amical tandis que le Bronco démarrait sur les chapeaux de roues.) Tu es le salopard le plus chanceux que la terre ait jamais porté!

Ira, incrédule, se mit à sourire.

– Elle est là? Elle est là? Elle veut probablement me parler. Propose-lui de garder son sac!

Ralph jeta un nouveau coup d'œil sur Joan et confirma qu'elle avait bien encore son sac; donc elle n'avait pas perdu la carte dans la jungle.

– Elle est avec un mec.

– Quel mec? demanda Ira.

– Comment veux-tu que je le sache? Elle aime les mecs, vu? Toi aussi.

– D'accord, mais ce n'est pas le moment d'essayer d'être drôle! Ralph, apporte-moi cette carte ce soir. Plus de coup fourré. Je me fous de ce que tu devras faire. Apporte cette carte, c'est tout.

Elaine vit son geôlier raccrocher brutalement et poussa un soupir de soulagement. Joan était toujours vivante! Il leur restait, à toutes les deux, une chance d'échapper à cette folie. Ce soir... Ce soir peut-être Joan et elle seraient-elles libres...

19

Joan, aux côtés de Jack, se dirigeait vers l'entrée du *Grande Hotel*. Dans cette vieille ville endormie, l'hôtel de cinq étages bâti en pierre à chaux constituait un monument aux pétrodollars qui avaient fait entrer la Colombie dans l'âge moderne. Au cours des dernières années, on avait ouvert, dans ce même pâté de maisons, une demi-douzaine de boutiques, des magasins pour hommes et des bijouteries dont les vitrines offraient des émeraudes colombiennes. Leurs façades de marbre, leurs vitrines illuminées, leurs marquises faisaient presque penser à la Floride. Plus guère de traces de la vieille origine espagnole...

Les portes de l'hôtel, toutes de verre et de cuivre, parurent imposantes à Joan qui demeura sur le trottoir, ne sachant pas quoi dire à Jack. Elle regarda le Bronco disparaître au bout de la rue, dans un virage. Fini, songea-t-elle, tandis que des larmes lui montaient aux yeux. Elle se détourna, espérant que Jack ne remarquerait pas son émotion.

Elle s'était dit que cet instant arriverait, mais, en toute honnêteté, jamais elle ne l'avait cru. Au cours de ces trois derniers jours, elle avait vécu, découvert, ressenti plus que pendant toute sa vie. Et maintenant, tout cela s'achevait. Et elle allait perdre Jack. Elle se dit qu'il était inutile de faire tout un roman de la situation, mais à cet instant elle comprit qu'elle était amoureuse de lui. Et il était trop tard.

Ils ne s'étaient rien promis et Jack ne l'aimait pas; elle n'était même pas sûre qu'il la trouvât séduisante. Elle ne l'en aimait pas moins. Elle aurait souhaité avoir le courage de le crier, et peu importerait qu'il la trouve idiote. Mais, au fond de son cœur, elle savait que ce qu'elle désirait le plus, c'était qu'il partage ses sentiments. Elle regarda la cabine téléphonique toute proche.

Jack, qui ne la quittait pas des yeux, se dit qu'elle essayait de trouver un moyen de se débarrasser de lui, maintenant qu'elle touchait presque au but. Il ne l'en blâmait pas, sans doute en aurait-il fait de même.

Il jeta un coup d'œil sur le sac de Joan. Si seulement il pouvait prendre cette carte...

– Je crois que je vais encaisser mes trois cent soixante-quinze dollars, maintenant...

Joan le regarda, consciente qu'elle ne le reverrait plus. Vivement, elle ouvrit son sac et chercha ses traveller's chèques. Les larmes lui brouillaient la vue.

– Trois cent soixante-quinze...

– C'est bien ce qui était convenu, non?

– Oh, oui, répondit-elle, sans relever la tête.

Elle ne pouvait le laisser disparaître ainsi de sa vie! Il fallait trouver quelque chose.

– Voyons, pourquoi... pourquoi ne pas m'accompagner à Cartegena? demanda-t-elle.

– Avec quoi... ma jeep?

– Oh, eh bien... je... bégaya-t-elle. (Elle se remit à

fouiller sans raison dans son sac, essayant de se ressaisir.) Je ne sais plus ce que je dis. Si le bus ne passe pas avant demain matin... (Elle laissa échapper un sanglot.) Je... je ne sais pas ce que je vais faire...

– Pourquoi ne pas passer votre coup de fil?

– Oui, oui, d'accord.

– Je vais essayer de vous trouver une chambre pour faire un peu de toilette. Mais c'est un soir de *fiesta* et ce sera peut-être plein.

Joan acquiesça et marcha vers la cabine téléphonique que venait juste de quitter un homme aux vêtements chiffonnés.

En pénétrant dans le hall de l'hôtel, Jack voulut croire qu'elle n'était pas aussi désireuse de se débarrasser de lui qu'il le pensait. Un instant, il avait cru lire quelque chose dans ses yeux...

Du marbre partout dans le hall de l'hôtel : sol, murs, colonnes; du marbre vert, coûteux. Et, remarqua Jack, des fauteuils italiens ultra-modernes recouverts de satin blanc et disposés autour de tables basses en verre. Et sur chaque table, un bouquet somptueux. Au plafond, des lustres de cristal de près de deux mètres de diamètre.

En approchant de la réception, Jack vit le préposé examiner ses vêtements en guenilles, froncer les sourcils d'écœurement et faire mine de regarder ailleurs.

– *Buenas tardes, señor. Tiene un cuarto para una noche... con baño?*

Le préposé s'éclaircit la gorge et répondit en un anglais parfait, tout en ouvrant le registre :

– Tout est libre.

– Il existe une machine à photocopier dans cette ville? murmura Jack en se penchant.

Le préposé désigna l'autre extrémité du hall, à

côté des ascenseurs et de la boutique de cadeaux. Jack sourit.

– Bien, dit-il. C'est parfait.

Joan raccrocha, sortit de la cabine et marcha à la rencontre de Jack qui sortait de l'hôtel. Il vit des larmes dans ses yeux.

– J'ai parlé à Elaine et elle va bien. Ils attendront que je prenne le bus demain.

– Alors, détendez-vous, vous êtes rassurée.

Seigneur! songea-t-il. Pourquoi fallait-il qu'elle ait l'air si malheureux? Jamais il n'avait su dire aux femmes ces mots qui réconfortent. Il repoussa doucement une de ses mèches de cheveux, songeant à la nuit qu'ils avaient passée ensemble. Il s'était réveillé et l'avait regardée dormir. C'est ainsi, surtout, qu'il se souviendrait d'elle, avec ses boucles éparses, et comment elle avait frissonné et s'était blottie contre lui. Il eût voulu, à cet instant même, la prendre dans ses bras et la ramener dans la jungle. Tarzan et Jane! Mais il n'avait rien à lui offrir : ni maison ni confort, pas d'avenir. Et c'est cela sans doute qu'elle attendait...

– Eh bien, je crois que ça y est, dit Jack, lui caressant la joue et laissant glisser la main sur son cou.

– Ecoutez, dit Joan, soudain troublée, laissez-moi au moins vous offrir à dîner.

Jack la regarda, se demandant lequel était tombé dans le piège de l'autre.

– Oui, d'accord... Vous allez monter, prendre un bain chaud, tandis que je vais me trouver des vêtements propres. (Il sortit la clé de sa poche.) Tenez, voilà... le numéro sept.

Les yeux de Joan ne quittaient pas les siens. Il posa la clé dans la paume de sa main.

– Mon chiffre de chance.
– Le mien aussi.

Ralph, dans la rue, regardait passer un agent. Il défit le papier d'une barre de chocolat fourré et se mit à mâcher tandis que le soleil se couchait. Ce ne serait plus long maintenant...

20

Exquise, cette chambre, pensa-t-elle en traversant l'entrée au parquet de bois sombre avant d'atteindre la haute moquette de laine blanche. Les murs granités étaient blancs et le plafond de merisier foncé, assorti au parquet. Des jalousies fermaient, du sol au plafond, deux fenêtres doubles. On avait disposé dans la cheminée des bûches et du petit bois pour le cas où la nuit serait fraîche. Outre le lit, il y avait une vaste armoire d'acajou massif. Le lit à baldaquin était recouvert d'un édredon d'une blancheur de neige et d'un couvre-lit de dentelle. Les draps étaient ornés de broderies et une immense moustiquaire était accrochée sur le côté du baldaquin.

Le carrelage de la salle de bains était d'un vert forêt piqueté de minuscules points dorés. Dans un coin, une chaise longue capitonnée de mauve et une petite table de fumeur garnie de cigarettes à bout doré et d'un briquet en or. En face, sur l'autre mur, un miroir à trois faces, un valet de cuivre et une commode pour les affaires de toilette.

Et à l'autre extrémité, sous un lustre de cuivre et de cristal, la plus grande et la plus luxueuse des baignoires que Joan eût jamais vue. On accédait par trois marches. Les robinets et les poignées jetaient des feux dorés. Sur le rebord, de grands flacons de sels effervescents et d'huile parfumée.

Joan ne perdit pas un instant pour se débarrasser de ses vêtements en lambeaux tandis que la baignoire se remplissait d'eau fumante. Dans le tiroir supérieur de la commode, elle trouva des serviettes, du shampooing et un petit nécessaire de couture. Il fallait reconnaître que la civilisation avait du bon.

Joan s'abandonna aux délices de l'eau, et, lorsqu'elle émergea du bain, elle se sentit une autre femme.

Tout en séchant ses cheveux avec une serviette, elle jeta un coup d'œil dans la chambre et aperçut sur le lit deux boîtes enrubannées. S'enveloppant d'un peignoir en éponge, elle traversa la pièce, pieds nus, et s'assit sur le bord du lit. Elle défit vivement les paquets, sans égards pour les rubans de satin.

Dans la plus grande des deux boîtes, elle découvrit une robe de style indo-bohémien semblable à celle de la jaquette de son livre. Cette robe, cependant, était plus récente et d'une confection exquise. Corsage au décolleté carré, de soie lavande, et jupe à trois volants qui allaient du mauve au rose le plus pâle. A la taille, une immense rose de mousseline noire au cœur lavande et or. Joan aurait parié qu'il s'agissait de l'original d'un grand couturier, mais elle ne vit pas d'étiquette.

La boîte suivante contenait une paire d'escarpins noirs à hauts talons et un... slip!

Joan ramassa la robe, fila dans la salle de bains, et, face au miroir, tint la robe devant elle. Jamais elle n'aurait osé choisir, pour elle, de telles couleurs, mais elle admira le coup d'œil de Jack. Cette toilette lui irait parfaitement.

Joan considéra la robe comme un témoignage de son désir et, se regardant, elle se trouva sensuelle, attirante, belle. Jamais elle n'aurait cru cela possible! Parfois, dans la jungle, elle avait pensé qu'il pouvait désirer son corps mais, dans le même temps, il la traitait avec une constante réserve. Ainsi donc, il pouvait être romanesque! Et il lui fallut admettre qu'elle en était émue.

Par cette robe, il lui disait qu'elle comptait pour lui. Jack avait su découvrir Angelina en elle, alors qu'elle-même n'y était pas parvenue.

De nouveau, Joan se regarda. Ces boucles folles, ce sourire, oui, elle ressemblait à Angelina!

Jack se redressa dans son fauteuil tandis que le coiffeur le ramenait face au miroir. Surprenant de voir combien une coupe de cheveux et un rasage vous changeaient un homme!

Il jeta un coup d'œil sur ses chaussures blanches toutes neuves et sur les revers impeccables de son pantalon de peau d'ange. Il ajusta sa cravate de soie gris-bleu, boutonna les manchettes de sa chemise de coton blanc, se coiffa de son panama qu'il pencha légèrement et sourit à l'image de cet homme nouveau. Voilà qui vaut bien les dollars dépensés, se dit-il. Il laissa un pourboire au coiffeur et sortit.

Jack sifflotait en remontant l'avenue, tandis que la brise parfumée faisait ondoyer les palmes au-dessus de lui. Quelle joie merveilleuse d'avoir pu acheter cette robe pour Joan! Il aurait voulu lui offrir bien d'autres choses encore : ce maillot de bain, tout en mailles noires, absolument sublime. Elle aurait été sensationnelle là-dedans! Et cette chemise de nuit en dentelle rose... Peut-être valait-il mieux qu'il ne les ait pas achetés car, à la moindre occasion, il les lui aurait arrachés du corps.

Et dire qu'il avait traversé toute la jungle avec elle, l'avait regardée se baigner nue dans la rivière, avait dormi à côté d'elle et n'avait rien tenté!

Aujourd'hui, en lui achetant cette robe, il avait dû s'avouer ce que, pendant des jours, il avait refoulé, chassé de son esprit. Il aimait Joan Wilder. Il s'était raconté des tas d'histoires, feignant de n'en vouloir qu'à son corps, se disant qu'il souhaitait surtout obtenir la carte. Eh bien, effectivement il voulait son corps – et comment! Mais il voulait Joan tout entière et s'il pouvait mettre la main sur ce trésor, alors il pourrait lui offrir un avenir à deux, une vie commune. Rien ne l'arrêterait dans cette tentative, pas même Joan!

La place était décorée de lampions, de fleurs de papier et de banderoles colorées. Partout, on faisait partir des pétards et des feux de Bengale. Du ciel sombre semblait retomber une pluie de lumières arc-en-ciel. Jack repéra un couple d'amoureux qui, à l'abri de lauriers touffus, s'embrassaient passionnément. Sous un kiosque blanc, un orchestre jouait des airs latino-américains; sur la piste, des couples dansaient, tendrement enlacés.

Jack allait s'éloigner quand un petit gamin vint vers lui, agitant une pleine poignée de colifichets. Jack ébouriffa les cheveux noirs et frisés du gamin qui le regarda de ses yeux tristes :

– *Por favor, señor...*

Joan appela la réception pour qu'on la prévienne de l'arrivée de Jack. Il eût bien été capable de monter jusqu'à sa chambre et c'était la dernière chose qu'elle souhaitait.

Une pareille soirée sortait tout droit d'un roman

et elle avait l'intention d'en profiter au maximum. A leur arrivée à l'hôtel, elle avait remarqué le fabuleux escalier de marbre et de cuivre qui menait à la mezzanine et à la salle à manger de l'hôtel. Toute sa vie, elle avait rêvé de descendre un pareil escalier et on retrouvait une telle scène dans chacun de ses romans.

Lorsqu'on l'appela, elle sortit en hâte de sa chambre, prit l'ascenseur jusqu'au premier, suivit le corridor et arriva en haut de l'escalier juste à temps. Jack était là, dans le hall, et le réceptionniste s'adressait à lui.

La mise en scène de Joan trouva sa récompense lorsqu'elle lut le désir dans le regard de Jack, au bas des marches. Il lui sembla très élégant. Son visage était rasé de frais, sa barbe avait disparu, et quel bleu étonnant que celui de ses yeux! Couleur de ciel, couleur d'océan... Elle eût aimé s'y perdre.

Jack, fasciné, la regardait descendre. Il fut heureux qu'elle ait laissé ses cheveux bouclés tomber librement sur ses épaules. La lumière des lustres y dansait et, lorsqu'elle arriva près de lui, il ne put résister. Il prit une mèche entre ses doigts et la caressa tendrement. Il n'était pas déçu. Ses yeux vert jade avaient toujours cette irrésistible pointe d'innocence et, en même temps, ils ne faisaient pas mystère de son désir. Un mélange fatal. Il devina qu'elle se sentait cependant encore un peu timide, un peu gauche.

Ils se tenaient là, face à face, silencieux, conscients de la futilité des mots.

Jack, captivé, ne se rendait pas compte qu'il gênait le passage. Finalement, un homme lui tapa sur l'épaule. Jack s'excusa et offrit son bras à Joan.

– Joan Wilder? Voulez-vous me faire l'honneur?

Tandis que Joan contemplait les collines pourpres qui se détachaient sur un ciel clouté d'étoiles, Jack lui dit avoir choisi ce restaurant pour la vue qu'offrait sa salle à manger en terrasse. Le restaurant se nichait à flanc de colline, un peu en dehors de la ville, entouré de cette végétation dense qu'elle avait appris à connaître au cours de son séjour en Colombie. Ce soir, les palmiers et le jasmin rendaient la nuit aphrodisiaque. Ils étaient assis face à face, à une petite table recouverte d'une nappe de lin et éclairée d'une chandelle. Jack prit l'orchidée rose qui se trouvait dans le vase et la piqua dans les cheveux de Joan.

Ils ne prêtaient attention ni aux autres dîneurs ni au petit orchestre qui jouait en sourdine. Joan buvait du *chicha* dans une mince flûte en cristal et regardait Jack dans les yeux.

Lorsque le garçon vint leur demander s'ils souhaitaient un dessert et du café, il dut poser deux fois sa question avant que Jack ne réponde.

Joan, elle aussi, laissait vagabonder ses pensées et ses souvenirs. Elle avait, dans sa vie, accepté quelques dîners, mais jamais encore elle n'avait connu une soirée comme celle-ci. Pour Joan, le romanesque était une dimension imaginaire, le ressort des fictions qu'elle créait, inventait de toutes pièces. Et voici que, grâce à Jack, elle était elle-même au cœur du romanesque, elle le vivait totalement.

Inutile de se regarder dans la glace de son poudrier pour savoir que jamais ses yeux n'avaient été aussi brillants, son teint aussi rayonnant, son sourire aussi heureux.

Quant à Jack, il avait complètement oublié qu'il s'était pour ainsi dire ruiné en achetant la robe de Joan et en l'invitant dans ce restaurant... Il porta la main de Joan à ses lèvres et baisa doucement chacun de ses doigts. Des années durant, il avait tenté de comprendre ses sentiments pour Jeannine, se demandant comment pouvait autant compter pour lui une femme si âgée. En fait, elle l'avait contraint à aller jusqu'au fond de lui-même, à se découvrir des qualités ignorées, à aller au bout de ses rêves. La dignité intérieure de Joan, son intégrité avaient sur lui le même effet.

Il refusait d'admettre qu'il se sentait las de fuir la vie mais Joan l'avait contraint à affronter la vérité. Tout cela était stupéfiant. Pendant dix ans, à New York, il avait été de femme en femme. Il avait tous les atouts et elles ne résistaient pas... Et voilà que dans la jungle colombienne, sans *penthouse*, sans voiture de sport, sans carte de crédit, la femme de ses rêves surgissait et entrait dans sa vie !

Il savait que tout cela n'importait guère pour Joan. Lorsqu'elle le regardait comme en cet instant, de ses yeux qui vous atteignaient l'âme, Jack sentait une dignité, une valeur vitale non seulement en elle mais également en lui. Elle avait fait de lui un autre homme. Lui qui ne professait que mépris pour l'introspection, voilà qu'il s'analysait avec une implacable lucidité. Peut-être avait-il toujours redouté ce qu'il risquait de découvrir, mais Joan lui en avait donné le courage. Et il avait découvert en lui un type qui valait plus qu'il ne croyait.

Il comprenait maintenant qu'il n'était plus la honte d'une famille pour ne pas être devenu médecin et que ses parents l'aimaient toujours. Et sans doute n'avait-il pas brisé autant de cœurs qu'il le pensait. Quelle joie de découvrir qu'il n'était ni cynique ni blasé !

Le garçon posa devant eux du café fumant et de délicates pâtisseries au moment où Jack disait à

Joan combien il la trouvait belle. Le garçon leur sourit et se retira.

– Voyons, vous ne le pensez pas vraiment! Vous me gênez.

– Vous êtes merveilleuse! dit Jack en reprenant sa main dans la sienne.

– Etes-vous sûr...

– Ma vision est de dix sur dix aux deux yeux.

– Parce que je... (Joan rougit)... je ne l'ai jamais vraiment cru...

– Et cette beauté m'est allée tout droit... dit Jack avec un sourire taquin.

Il n'ajouta rien, voyant rougir Joan plus encore.

– J'ai un petit quelque chose pour vous, dit Jack en fouillant dans ses poches.

Il tira de la poche de sa veste une chaîne avec un médaillon en or, expliquant qu'il l'avait achetée à un gamin à la *fiesta*. Joan saisit le médaillon et lut l'inscription :

– *El Corazón?* Vous êtes plus tendre que je ne le pensais.

– Même moi je peux me faire prendre, dit Jack plongeant de nouveau son regard dans le sien.

Joan se rendait compte qu'il souhaitait qu'elle lise entre les lignes, mais avant qu'elle puisse répondre, l'orchestre attaqua un calypso très rythmé qui les tira l'un et l'autre de leur rêverie. Jack repoussa sa chaise, prit la main de Joan et se leva.

– Allons danser, dit-il.

– Non, Jack, je ne peux pas...

– Pas d'excuse.

Joan aurait voulu expliquer à Jack que de toutes les petites filles d'Akron, Ohio, elle était la seule à ne pas avoir fréquenté le cours de danse de Martha Maye et que la seule fois où on l'avait invitée à danser remontait au mariage d'une copine de fac. Joan ne dansait pas, ne savait pas danser.

Jack l'entraîna sur la piste et l'enlaça. Des hanches, il lui montra le rythme et les mouvements du calypso, ses bras robustes l'éloignant puis l'attirant de nouveau à lui. Il la serra davantage, sentant ses longues jambes contre ses cuisses, son bras autour de son cou, tandis qu'il respirait son parfum de fleur, souhaitant que la nuit ne finisse jamais.

Ralph, debout devant la porte d'accès à la terrasse, regardait danser Jack et Joan. Le sac de Joan était resté accroché au dossier de sa chaise. Entre Ralph et le sac, une longue rangée de tables. Il se sentait fier de n'avoir nul besoin d'Ira pour lui dire comment voler le sac sans être vu.

Ralph se dissimula vivement derrière une haie de plantes vertes, attendit que le couple le plus proche aille danser puis se glissa sous leur table. Un tunnel de nappes s'allongeait devant lui.

En atteignant la deuxième table, il vit que l'homme à qui appartenaient ces chaussures en crocodile glissait la main sous la table et recevait une liasse de billets d'une femme en jupe de satin noir.

A la table suivante, il évita de justesse de frôler une longue jambe de femme, mince et merveilleusement bronzée. A la cheville, elle portait une gourmette avec son nom gravé : « Linda ».

A peine atteignait-il la table suivante qu'une main d'enfant manquait de peu de lui planter une boule de chewing-gum dans les cheveux. Il reprit sa progression. Ralph arriva à son premier barrage sérieux : une paire de bottes de cow-boy, pointure quarante-neuf, face à une autre paire de bottes de même pointure. Sa progression momentanément dans l'impasse, Ralph vit une main caleuse dégager, d'une des bottes, un poignard. Les bottes d'en face s'agitèrent et des éclats de voix retentirent. Puis, lentement, le poignard reprit sa place et, miraculeusement, les quatre bottes disparurent.

Ralph poursuivit son avancée, touchant presque au but.

Juste à cet instant, une main d'enfant apparut devant lui, lui déversant une assiettée de légumes sur le visage!

Maudissant en silence le petit monstre, Ralph s'assit sur ses talons et nettoya sa veste. Il reprit sa progression tandis que, à son insu, la boucle d'un de ses souliers se prenait dans l'ourlet d'une robe longue, entraînant le tissu.

Après deux danses, Joan commença à se sentir assez en confiance pour tenter quelques pas plus savants. Jack se révélait un merveilleux professeur, plein de patience avec elle. Elle découvrit qu'elle aimait danser, danser tout contre Jack.

La musique se fit plus douce et Joan passa ses deux mains autour du cou de Jack. Ils dansèrent en dégageant un tel accord, une telle harmonie que spontanément, les dîneurs applaudirent.

L'un des musiciens de l'orchestre toucha l'épaule de Jack et lui offrit une bouteille. Jack la brandit et la tendit à Joan qui la considéra, hésitante, puis cédant aux encouragements de son partenaire et de l'orchestre, en but une longue gorgée. Ses yeux s'embuèrent sous la brûlure de l'alcool mais elle ne s'en soucia guère. Jack lui donna un baiser rapide sur la bouche. La foule applaudit encore. Jack rendit la bouteille au guitariste et prit Joan dans ses bras.

De nouveau, le rythme se déchaîna, entraînant sur la piste un plus grand nombre de danseurs.

Et puis, l'un après l'autre, les danseurs se détournèrent de la piste pour regarder ce qui se passait à l'autre extrémité de la salle.

L'homme obèse et presque chauve assis à la table proche de celle de Joan et Jack fut si surpris qu'il en renversa son vin sur le plastron de sa chemise. La jeune femme qui lui faisait face laissa choir sa mousse au chocolat dans son café.

Tout au bout d'une longue table, trônait une *señora* particulièrement plantureuse, en robe longue sans bretelles. Ses yeux lourdement maquillés de bleu s'écarquillaient tandis que, par à-coups, elle sentait la robe glisser. Le tissu, à la limite de la tension, allait céder et les seins de la dame se trouvaient en grand danger d'apparaître aux yeux de tous et de chacun.

La grosse dame porta les mains à sa poitrine quasiment dénudée et se mit à crier. Elle imprima une secousse sèche à sa robe tandis que son mari appelait le maître d'hôtel.

Ralph heurta le sol de la mâchoire et il se mordit la langue, déséquilibré par cette traction soudaine. Il s'affola, tenta de libérer sa chaussure et renversa la table, apparaissant au milieu des spectateurs horrifiés.

Le maître d'hôtel arriva enfin et le souleva sans douceur. Après quoi, le vigoureux jeune homme, trois fois finaliste du championnat de Colombie poids moyen, saisit Ralph par le fond de son pantalon et, à bout de bras, le transporta jusqu'à la porte de service d'où il le projeta dans la ruelle. Quand Ralph tenta de se relever, d'un coup bien assené, le maître d'hôtel le mit K.O.

21

Joan ne se soucia guère de ce qui ne lui parut qu'une péripétie. Elle était tout entière au rythme qui atteignait son crescendo. Les bras au-dessus de la tête, claquant des doigts, ondulant, elle dansait, comme possédée par ce tempo sauvage, farouche. Ses cheveux tournoyaient. Les mains de Jack lui prirent la taille, descendirent sur ses hanches, puis il virevolta, frappant dans ses mains, tapant des pieds. Ils se mirent à rire.

Soudain, la musique s'arrêta et, dans une pluie de fusées multicolores, le ciel éclata.

A peine la dernière fusée s'évanouissait-elle dans le ciel que celui-ci déclencha sa propre averse, trempant dîneurs et danseurs sur la terrasse.

Joan regarda Jack qui, souriant, la reprit dans ses bras et l'entraîna. L'un après l'autre, les danseurs quittèrent la terrasse pour chercher refuge à l'intérieur et Joan et Jack se retrouvèrent seuls.

Sous l'averse, dans la musique langoureuse, Jack prit le visage de Joan dans ses mains et l'attira à lui. Il avait des lèvres douces et fraîches. Un bref instant, il la regarda au fond des yeux, semblant chercher une réponse. Lorsqu'il ferma les yeux et lui ouvrit les lèvres de sa langue, elle se sentit comme emportée par un tourbillon.

Elle cambra son corps contre celui de Jack.

Ses baisers l'envahissaient tout entière, déchaînant en elle une passion refoulée depuis longtemps. Avec un désir et une impudeur sauvage, Joan lui rendit son baiser. Elle se cramponnait à lui, lui disant de sa bouche, de sa langue, de tout son corps qu'elle le désirait autant qu'il la désirait.

Pour elle, le monde venait de basculer et, lorsque Jack lui releva la tête et la fixa de ses yeux bleus intenses, elle sut qu'ils allaient embarquer pour un voyage bien plus périlleux et excitant que tout ce qu'ils avaient connu dans la jungle.

Ils traversèrent la plaza sous la pluie, empruntèrent des rues pavées pour rentrer à l'hôtel. Joan frissonna, elle avait froid. Jack s'arrêta sous un lampadaire, retira sa veste et la lui posa sur les épaules. Il se pencha et, de nouveau, l'embrassa longuement.

Quand ils arrivèrent à l'hôtel, Jack fit couler un bain chaud pour Joan, insistant sur les dangers d'un coup de froid sud-américain. Après tout ce qu'elle avait enduré, dit-il en lui retirant sa robe trempée de pluie, elle ne pouvait être trop prudente.

Le souffle coupé, Jack la contempla, nue devant lui. Une déesse! Elle portait son corps comme un vêtement sur mesure. Il était fasciné.

Soudain, Joan croisa les bras sur sa poitrine, les larmes aux yeux.

– Je vous en prie, ne me regardez pas comme ça!

– Tu te trompes! dit-il aussitôt, la prenant dans ses bras. C'est seulement que tu es trop belle.

Il lui embrassa les yeux, goûtant le sel de ses larmes, baisa ses joues, ses oreilles, son nez. Il lui murmura des mots apaisants.

Jack se dépouilla lui aussi de ses vêtements et prit Joan dans ses bras. Il la porta jusqu'à la baignoire où il la déposa doucement puis il y entra et s'assit face à elle.

Joan lui tendit l'éponge mais il la laissa tomber négligemment. Il l'attira contre lui.

— C'est cela que j'aurais dû faire dans la jungle.

La main de Jack descendit doucement, longeant son cou, atteignant son sein. Jack gémit et, de nouveau, l'embrassa.

Sa main glissa sur les hanches soyeuses de Joan, sur ses cuisses, sur ses jambes tandis que les baisers se faisaient plus ardents.

Soudain, il se leva, la prit dans ses bras et l'emporta, toute mouillée, dans la chambre.

Lorsqu'il la déposa sur le lit et s'allongea près d'elle, il fut surpris de constater que s'était évanoui ce pressant désir qui l'avait poussé à vouloir la prendre, même sur la piste de danse. Glissant un bras sous sa tête, il l'attira tout contre lui. Ils écoutèrent battre leurs cœurs, entendirent les mots qu'ils échangeaient en silence.

Elle l'attira plus près, le prenant dans ses bras, le caressant doucement. Jack sentit sa passion se rallumer. Il enfouit son visage au creux de l'épaule de Joan. Ses cheveux humides, bouclés, sentaient le gardénia et le jasmin et il parcourut de baisers tièdes son cou et l'étroite vallée qui séparait ses seins. Jamais un corps de femme ne l'avait transporté à ce point et jamais un corps de femme ne lui avait ainsi répondu.

Une sorte de vénération s'empara de lui, tandis

qu'il explorait le corps de Joan, l'intérieur de ses cuisses, la saignée de ses genoux, ses chevilles.

Quand il vint sur elle, il sentit de nouveau la douceur de ses seins contre sa poitrine. Il la regarda dans les yeux, y lisant une confiance infinie.

Il la pénétra sans effort tant elle était avide de lui, et commença alors une lente et douce danse. A chacune de ses pénétrations, elle soulevait les hanches et, chaque fois qu'il s'éloignait, elle posait sur lui les mains comme pour s'assurer qu'il ne la quittait pas. Dans son désir insatiable, Jack accéléra sa cadence.

Toujours en elle, Jack roula sur le dos, l'entraînant avec lui. Elle aimait cette façon possessive dont il la tenait, la gardant fondue à lui. D'un doigt timide, il caressa son menton, sembla vouloir dire quelque chose, s'arrêta, prit la tête de Joan contre son épaule et l'étreignit farouchement. Jamais Joan n'avait ressenti une telle joie, une telle plénitude.

Elle se réveilla au milieu de la nuit. Jack avait dû se lever, car un feu brûlait dans la cheminée tandis que près de l'âtre, sur le valet, leurs vêtements séchaient. Une bouteille de vin rafraîchissait dans un seau à glace.

Jack, appuyé sur un coude, caressa ses seins. Elle passa ses doigts dans ses cheveux emmêlés. Il baissa la tête, lui embrassa le bout d'un sein.

— Tu sais ce que je pense de toi ? demanda-t-il avec un sourire.

— Non, quoi ?

— Tu es douce... souple et gracieuse... comme ma dame, exactement.

— Ta... ta dame ?

— Bien sûr, elle est un peu plus rapide que toi et

on y couche à plusieurs. (Son sourire se fit espiègle.) Avec toi, il n'y a place que pour un seul.

Jack se pencha et tira de la poche de sa veste la photo du bateau de ses rêves. Il la lui montra, remarquant son soupir de soulagement.

– Un jour... si j'ai l'argent...

Joan roula sur Jack qui l'enlaça de ses jambes. Elle sentit une idée bondir en elle.

– Jack, c'est peut-être l'occasion ou jamais. Je veux courir la chance. Je veux tenter d'avoir le cœur.

Jack, décontenancé par cette réflexion, s'interrogea, douta de tout.

– Euh...

– Ecoute, c'est toi qui l'as dit. Si je fonce à Cartagena et que je remets la carte, ça va mener à quoi?

– Je ne sais pas, moi...

– Il m'a permis de rester ici ce soir...

– Qui?

– L'homme qui m'a répondu, l'homme qui retient Elaine. Il paraissait sûr de lui.

– Et pour cause... tu lui apportes la carte.

– Je ne veux pas qu'il se sente si sûr de lui. C'est moi qui vais jouer le prochain coup.

Enfin! pensa Jack.

– Qui te dit le contraire?

– Toi. Et si j'avais plus que la carte? Si j'avais le trésor?

– Es-tu sûre qu'il s'agisse d'un trésor?

– N'est-ce pas à cela que mènent toute les vieilles cartes?

– Que veux-tu que je te dise?

– Jack, nous touchons au but, tu le sais bien.

– La province est vaste!

– Cet arbre! Tu l'as vu : la Fourche du Diable.

C'est là que nous nous sommes arrêtés avec Juan. Je n'ai pas fait tout de suite le rapprochement, mais c'est bien là.

– Où?

– Où nous étions! Et sur la carte! Regarde!

Joan glissa le bras hors de la moustiquaire, à la recherche de son sac. Jack retint son geste.

– Tu as peut-être raison. Nous nous lèverons tôt. Ce n'est peut-être pas inaccessible... pour un si joli bras!

Et ce bras, Jack se mit à le couvrir de baisers.

Tandis que, d'une main, il lui caressait la hanche, son autre main atteignant le sol, retirait la carte de la poche de sa chemise et la replaçait dans le sac de Joan.

Il la fit rouler sur le dos, la caressant avec une délicieuse et cruelle lenteur. Il la sentait trembler, il l'entendait haleter.

– J'ai rencontré un jour un cannibale repenti, dit-il en glissant la tête entre ses seins. Et il m'a indiqué la partie la plus savoureuse du corps humain.

Joan gémissait doucement, tout en guidant de la main la tête de Jack.

– Laquelle?

22

L'aube se leva. Les marchands de fruits et légumes ouvraient leurs éventaires. Une équipe chargée du nettoyage matinal balayait la plaza, la débarrassant de ses bouteilles vides, de ses fleurs fanées et de ses confetti. On retirait les banderoles, on les pliait soigneusement et on les rangeait jusqu'à l'année prochaine.

Ralph titubait, encore abasourdi de ce qu'il lui était arrivé la veille. Après deux heures passées au service des urgences de l'hôpital et la pose de cinq points de suture à la joue, il n'aspirait qu'au repos. Il porta la main à son visage, tressaillit sous la douleur et se souvint de ce que le médecin lui avait dit : il faudrait opérer son nez cassé. Il eût aimé tuer Ira. Non, Ira devrait payer l'opération! Si seulement ils s'étaient affiliés à cette mutuelle... mais Ira n'écoutait jamais.

Ralph trébucha et faillit ne pas franchir le dernier pâté de maisons avant l'hôtel où il avait garé sa Renault. En arrivant à la voiture, il ouvrit la portière arrière, déploya la couverture et s'endormit aussitôt.

Les jeeps de l'escadron de la mort pénétrèrent dans la ville. Le visage de Zolo ne reflétait pas cette lassitude qu'on lisait sur celui de ses hommes. Assis bien droit, ses mains gantées croisées sur ses genoux, il cherchait des yeux la moindre trace des Américains. Deux de ses hommes d'élite, à l'arrière, dodelinaient du chef, mais Zolo ne leur prêta pas attention, donnant l'ordre au chauffeur de se diriger vers le *Grande Hotel*. Il sentait leur présence.

— C'est le moment de faire venir tous les renforts. Ils ne sortiront pas de cette province.

Les jeeps s'arrêtèrent devant le *Grande Hotel* dans des crissements de pneus.

L'hôtel étant toujours à peu près vide, on donna à Zolo et à son équipe des chambres au premier étage. Il aboya quelques ordres brefs à ses hommes avant qu'ils se retirent dans leurs chambres, puis enfila le couloir, arriva devant deux portes adjacentes et s'arrêta au numéro sept. Il sortit une clé, la glissa dans la serrure puis vérifia à nouveau le numéro porté sur la clé. Il fit un pas de côté, l'engagea dans la serrure du six et ouvrit la porte.

Zolo alluma un cigarillo, retira ses bottes et s'effondra sur le lit, tirant des bouffées paresseuses et écoutant les bruits du petit matin de la ville qui s'éveillait. Il écrasa son cigarillo et ferma les yeux.

Au moment où il allait s'endormir, il entendit grincer les ressorts d'un lit dans la chambre voisine.

Joan essayait de réveiller Jack en le chatouillant. Elle finit par trouver son point faible, en arrière des côtes, juste sous le bras. En deux secondes, il lui saisit les bras, les lui maintint au-dessus de la tête et roula sur elle.

— Tu sais ce qui arrive aux petites filles qui se conduisent mal?

– Non. Tu veux que j'essaie de deviner?

– Privées de gâteries pendant une semaine.

– Tu crois que tu pourrais tenir une semaine, Jack?

– Non.

De nouveau, Jack roula sur elle tandis que, dans la chambre voisine, on frappait au mur.

Jack répliqua en espagnol, exprimant sa façon de penser. Les coups cessèrent.

– Finis donc ce que tu as commencé, petite fille, lui dit-il.

Cette fois, quand les grincements reprirent, Zolo sursauta et cogna de nouveau. Un chapelet d'injures et d'obscénités en espagnol lui répondit. Quant au dernier mot, au travers de la mince cloison, c'était, clairement et sans aucun doute possible, de l'anglais.

Amricanos, se dit Zolo en tirant doucement son pistolet qu'il vérifia avant d'enfiler ses bottes.

Il se glissa dans le couloir et colla l'oreille à la porte du numéro sept. D'un mouvement coulé, il leva la jambe et ouvrit la porte d'un coup de pied, fonçant dans la chambre où il découvrit un lit vide.

Il courut vers la porte de la salle de bains, se plaqua contre le mur, arma son pistolet et tourna la poignée. La porte céda et Zolo bondit pour trouver la salle de bains également vide. Il se précipita vers la porte-fenêtre et sortit sur le balcon.

Dans la rue, Jack et Joan couraient vers une Renault, tout en continuant de s'habiller. En arrivant à la voiture, Jack jeta son sac à dos et le reste de leurs vêtements sur la banquette arrière.

Zolo abattit son poing sur la rampe du balcon et

jura. Il ne perdit pas un seul instant pour réveiller ses hommes.

Ralph fut réveillé, lui, par un sac à dos qui lui arriva en pleine figure. Puis il entendit une voix de femme :
— Jamais je n'oublierai cette toux.
Ralph leva lentement la tête, et aperçut les deux nouveaux occupants. Vivement, il se reglissa à l'abri, se disant qu'il avait la meilleure des cachettes.

Jack essayait d'établir un contact de fortune pour faire démarrer la voiture mais il se révéla particulièrement maladroit. Joan, qui surveillait l'hôtel pour voir si Zolo apparaissait, se retourna et le vit fourrager sous le tableau de bord. Elle se pencha et tourna la clé de contact. Crachant, hoquetant, la Renault démarra et Jack sortit de la ville.

Zolo réveilla son meilleur tireur qui le rejoignit sur la terrasse, armé d'un fusil de fort calibre. Mais au moment où l'homme visait la Renault qui démarrait, Zolo baissa le canon et ordonna à l'homme de ne pas tirer.
C'eût été trop facile. Maintenant que le jeu touchait à sa fin, il voulait que les Américains suent un peu plus. Il porta son talkie-walkie à ses lèvres et aboya des ordres. Il regarda la Renault qui atteignait l'extrémité de la rue principale.
— La route de l'est. Ne les perds pas de vue, mais sans te montrer. Laisse-les croire qu'ils sont en sécurité.

23

Jack découvrit qu'en pompant trois fois sur l'accélérateur et en écrasant le champignon au plancher, il parvenait à faire avancer la petite Renault. Mis à part un urgent besoin de nouveaux amortisseurs, d'une révision générale, la Renault était relativement en bon état. En regardant dans le rétroviseur, Jack aurait cependant préféré une puissante Porsche 928-S. Cette fois, il n'était pas du tout sûr qu'ils puissent s'en sortir.

Joan étudiait la carte, essayait de situer leur position.

– Tu trouves quelque chose? demanda Jack.

– Je ne sais pas. Regarde! Il y a autre chose, derrière.

– Autre chose?

– Il faut peut-être la plier, dit Joan, retournant la carte, essayant un nouveau pliage.

– Au diable! Nous prendrons les repères l'un après l'autre. Est-ce qu'on nous suit?

– Non, je crois que ça va, dit Joan après un coup d'œil en arrière.

Ralph demeura bien caché. Quelle veine! Non seulement il avait Joan et la carte, mais encore ils allaient le conduire droit au trésor. Il pourrait ramener à Ira et la carte et le trésor. Ralph se pelotonna, se demandant ce qui se passerait si, tout bonnement, il ne disait rien à Ira. Peut-être tous ses rêves, notamment celui de se trouver libéré de cette brute, pourraient-ils se réaliser.

Jack suivait les directions indiquées par Joan et, après plusieurs heures, ils se retrouvèrent sur une route sauvage, primitive. Joan scrutait le paysage, tout en jetant de temps à autre un regard par-dessus son épaule. Elle aperçut les jeeps... Jack, aussi, les vit dans son rétroviseur et ne cacha pas sa nervosité.

Joan était plus convaincue que jamais d'avoir pris la bonne décision. Le trésor en sa possession, les chances de survie d'Elaine augmentaient considérablement.

A la sortie d'un virage, Joan repéra le lieu saint sur le bord de la route. Elle le montra à Jack qui freina.

— Le voilà!

— L'asthmatique doit se trouver juste derrière nous. Tu es sûre de vouloir essayer?

— C'est risqué, hein?

— Tu parles!

— Prenons le risque. Allons-y!

Jack hocha la tête et embraya. Une sacrée bonne femme! Il se demanda ce qui pourrait bien arrêter Joan, une fois qu'elle avait décidé quelque chose.

Sous un bosquet d'acajous, au sommet d'une petite éminence, se tenait un soldat à cheval. Dans ses jumelles, il fixait un point à une centaine de mètres en contrebas, sur la route. Oui, dans la voiture, il y avait bien un homme et une femme.

Portant un talkie-walkie à ses lèvres, il dit, en espagnol :

– Ils ont pris la route de la Vierge. Ils n'iront pas loin.

La Renault cahotait sur la route, faisant des embardées pour éviter les branches tombées en travers ou les grosses pierres. Joan scrutait le terrain. Elle commençait à s'inquiéter car ils roulaient depuis quarante minutes et ne voyaient rien d'autre que la végétation qui se faisait plus dense. Un coup d'œil vers Jack et elle se rendit compte qu'il était inquiet.

Soudain, avec désespoir, elle vit la route se terminer en un cul-de-sac, devant un formidable mur de végétation.

Jack arrêta la voiture, tira le frein à main et descendit. Joan le rejoignit.

– Nous devons être tout près.

– C'est foutu, dit Jack.

– Toujours optimiste, à ce que je vois...

Jack hocha la tête. Il avait assez longuement examiné la carte pour savoir qu'elle ne comportait rien qui indiquât un cul-de-sac. Quelque chose ne tournait pas rond.

– La carte n'en parlait pas.

– Jack... (Joan pencha la tête, percevant le bruit d'une eau qui cascadait.) Tu entends ça?

– Des chutes. Et alors?

De nouveau, Joan se mit à triturer la carte, la tournant et la retournant. Mais cette fois, au verso de la carte, elle réussit à reconstituer l'image d'une chute d'eau.

– D'où sors-tu ça? demanda Jack, surpris. De *Mad Magazine* ?

De la voiture, Ralph les observait. Il aurait bien

aimé entendre les paroles qu'ils échangeaient. Au moment où Jack revenait vers la voiture, Ralph se cacha de nouveau. Il sentit qu'on retirait le sac à dos qui pesait sur lui puis entendit la portière se refermer. Il attendrait.

Jack prit la main de Joan pour descendre la pente abrupte, puis utilisa sa machette pour se frayer un chemin à travers la végétation. Ils arrivèrent au bord de l'eau, se dirigeant vers la chute. Jack tint son sac au-dessus de la tête tandis qu'ils s'enfonçaient dans l'eau, Joan lisait à haute voix les inscriptions en espagnol de la carte et, ensemble, ils tentèrent d'en déchiffrer le sens et les directives.

A un coude de la rivière, ils arrivèrent à une magnifique chute qui cascadait bien au-dessus d'eux. Le soleil la traversait, jetant des arcs-en-ciel autour d'eux. Joan se dit que c'était là le genre de coin qu'elle décrirait comme lieu de rencontre secret de deux amants. Elle regarda Jack qui l'observait en souriant. D'un mouvement de tête, il indiqua une grotte, à demi dissimulée par le rideau d'eau et, ensemble, ils y pénétrèrent, se glissant dans une trouée proche de la paroi de la falaise.

Jack tira deux lampes torches de son sac.

– *Leche de Madre*? dit-il en avançant lentement dans l'étroit tunnel obscur.

De sa torche, Joan éclairait le sol, tandis que Jack braquait la sienne droit devant eux. Il faisait froid et humide à l'intérieur de la grotte et les pieds nus de Joan glissaient.

– Qu'est-ce que ça veut dire *Leche de Madre*?

– « Le lait de la mère ».

Jack s'arrêta net.

– Je veux bien être damné!

Ils se trouvaient à l'entrée d'une grotte naturelle

qui faisait facilement la taille du hall du Plaza, pensa Joan en braquant sa lampe sur la paroi. Près du sommet, une rangée de stalactites laissaient tomber, goutte à goutte, une eau qui formait de minuscules ruisseaux. Sur la gauche, la lampe de Joan éclaira une autre rangée de stalactites qui, au cours des siècles, avaient laissé s'écouler suffisamment de calcaire pour susciter, comme les reflétant, des stalagmites qui montaient à leur rencontre. Le résultat en était un stupéfiant rideau de roches roses et bleues qui ressemblait à un orgue. Sous « l'orgue » s'étendait un bassin entouré de lichens verts et de mousses veloutées.

Joan fit virevolter le rayon de sa lampe sur les parois qui l'entouraient, frappée par la beauté naturelle de la grotte. Jack furetait derrière elle.

Il avait découvert une formation rocheuse ressemblant à une pagode chinoise et, en face, toute une rangée de stalactites colorées. Sous elles, une sorte de bassin – empli d'un liquide blanc.

Jack tira de son sac une petite pelle et se mit à creuser dans le calcaire. Joan, en cherchant autour d'elle, trouva une baguette avec laquelle elle se mit à fouiller et à remuer l'eau blanchâtre.

« Le lait de la mère », se murmura-t-elle en écartant une mèche de cheveux de son visage avec son coude. Elle adressa à Jack un sourire heureux. Ils allaient trouver le trésor! Elaine serait libre, Jack aurait le bateau de ses rêves et elle...

– Je n'arrive pas à y croire, dit-elle en le regardant creuser à coups de pelle.

– A quoi?

– Que je suis en train de chercher un trésor... avec toi.

Jack s'arrêta un instant, la regarda et sourit. Lui aussi était heureux qu'elle fût là.

– Jack, la nuit dernière...

Elle se tut, ne sachant comment exprimer ce qu'elle ressentait. Qu'il était difficile de dire à quelqu'un qu'on l'aimait. Jamais encore de pareils mots n'avaient franchi ses lèvres et peut-être en était-il de même pour Jack...

– Tu es le meilleur moment de ma vie, dit-elle à voix haute.

Ce n'était pas exactement ce qu'elle eût voulu dire.

– Vraiment? C'est la première fois que je fais cet effet à quelqu'un.

Incapable de mieux répondre, Jack se remit à la tâche. Sa pelle heurta quelque chose de dur qui rendit un son curieux. Ce n'était pas de la pierre! Il rejeta sa pelle, tomba à genoux et se mit à gratter de ses mains nues. Il atteignit un objet long et dur. Il tenta de le saisir mais perdit sa prise. Il dégagea un peu plus l'objet, réussit enfin à l'agripper et à tirer. D'un seul effort, Jack retira le trésor du roc et le tendit à Joan.

Elle contempla la statue, abasourdie.

– Jack... une statue inestimable!

– Inestimable, des clous. C'est un moule d'argile. Mes graines d'oiseaux valent davantage.

Joan ne pouvait y croire! Pendant des jours, ils avaient risqué leur vie, s'étaient battus contre la jungle – et tout cela pour de la camelote? Ridicule! Impossible! Elle examina la statue plus attentivement.

– Dans *Les Trésors de la Volupté*, mon premier livre, des bandits cachaient le trésor à l'intérieur d'une statue.

Le visage de Jack s'illumina d'un grand sourire. Il arracha la statue des mains de Joan et la brisa d'un coup de torche.

Telles des lucioles vertes, des rayons de lumière éclaboussèrent la grotte tandis que la statue se brisait en mille morceaux. Jack tenait dans sa main une énorme émeraude en forme de cœur. Une fortune!

Joan projeta la lumière de sa lampe sur la pierre qui se mit à chatoyer.

— Seigneur Dieu! s'exclama Jack, fasciné... on pourrait bien avoir des ennuis avec ça.

— Mon Dieu! souffla Joan. Qu'est-ce que c'est?

— Une émeraude, répondit une voix derrière eux.

Ralph pointait son pistolet dans leur direction. Lorsqu'il l'arma, le bruit se répercuta dans la grotte, comme celui d'un peloton d'exécution.

24

Baignée de lumière verte, la grotte ressemblait à la ville des émeraudes et Ralph à l'un des Munchkines, pensa Joan en regardant le petit homme.

Ralph lui jeta un sac de voyage de la Pan Am qu'elle saisit avant qu'il ne l'atteigne en pleine figure.

– Mettez-la là-dedans, miss Wilder... J'ai détesté votre bouquin.

Joan regarda Jack. Il était manifestement aussi perplexe qu'elle.

– Qui est-ce? lui demanda-t-il.

– Jamais vu.

Ralph se mit à trépigner comme un gosse capricieux.

– C'est moi qui cause, ici! balbutia-t-il.

– À son accent, il doit être de New York, murmura Joan.

– Qui précèdes-tu? demanda Jack.

Ralph sentit la colère le submerger. Il pointait sur eux un pistolet chargé et ils ne lui témoignaient aucun respect. Aurait-il dû prendre une mitrailleuse?

– Ça fait trois ans que j'ai pas foutu les pieds à New York et que j'ai pas bouffé de crêpes au fromage! Et maintenant, vos gueules... et maniez-vous! (Il agita son arme, ponctuant de nouveau ses ordres du mieux qu'il le pouvait.) Je me sens nerveux quand je me trouve à plus de douze mille kilomètres d'un Hilton.

– Qui c'est, cet emmerdeur? demanda de nouveau Jack.

– Vos gueules! Vos gueules! Voyez ça? J'ai de l'artillerie... Vous m'avez fait traverser l'enfer et vous êtes là tout propres et fringants!

Ralph se baissa, ramassa une poignée de boue et la lança à Jack. Il en fit autant à Joan, puis sortit de sa poche un livre et le brandit.

– Vous appelez ça un bouquin? hurla-t-il en jetant le livre à terre et en le piétinant. Je vais vous buter! Je vais buter ce con d'Ira! Je vais buter le premier qui bouge.

Cette fois, Jack et Joan gardèrent le silence. On pouvait s'attendre à tout d'un cinglé pareil. Jack glissa l'émeraude dans le sac de voyage et tendit le bagage au petit homme.

Jack en tête, Joan le suivant et Ralph fermant la marche, le trio sortit de la grotte et déboucha dans la rivière peu profonde.

Ils atteignirent la rive et escaladèrent le sentier rocheux qui menait à la voiture. Ralph bloqua Jack contre un fourré. Il fit signe à Joan de s'installer à la place du conducteur.

– Dans le temps, j'avais un chauffeur.

– Voulez-vous nous laisser un moment... pour nous dire au revoir?

– Vous me prenez pour qui, miss Wilder? C'est pas le grand « finale » d'un de vos navets. Allez, au volant!

En regardant Jack, elle se prit à craindre que ce soit bien le « finale ». Soudain, elle eut le sentiment que son univers se défaisait et quelque chose lui dit qu'elle ne reverrait jamais Jack. Elle aurait crié si elle n'avait eu aussi peur.

Ralph lui poussa l'arme dans les côtes et Joan se glissa derrière le volant. Elle ferma la portière. Jack ne l'avait pas quittée des yeux.

— A bientôt, dit-il avec un sourire qui se voulait plein d'espoir.

De nouveau, Ralph braqua son arme sur lui.

— Dans tes rêves, mon pote! Tu vas voir comme c'est bon de se retrouver en pleine jungle de l'Amérique du Sud! En route, miss Wilder!

Et tandis que Jack regardait la voiture disparaître, il se dit que jamais dans sa vie il ne s'était senti aussi impuissant. Il ne pouvait rien pour sauver Joan et, soudain, la fabuleuse émeraude lui parut dépourvue de tout intérêt. Pourquoi ne pas avoir dit à ce fou de garder l'émeraude et de lui laisser Joan? Pourquoi n'avait-il pas tenté de lui arracher son arme? Pourquoi ne pas avoir dit à Joan qu'il l'aimait?

25

Joan tressautait tandis que la Renault allait d'ornières en nids-de-poule. Du coin de l'œil, elle vit
Ralph se blottir sur le siège tout en serrant dans ses
bras le sac de la Pan Am. Joan se mordit la lèvre
pour maîtriser son émotion. Si seulement elle pouvait lui prendre son arme! Pour la première fois de
sa vie, elle se sentait vraiment capable de tuer. Non
seulement elle était elle-même en danger, mais Jack
et Elaine aussi, et tout cela à cause de l'intervention
de ce minable.

Avec une satisfaction sadique, elle vit le visage de
son ravisseur tourner au gris lorsqu'elle s'engagea
en trombe dans une descente, faisant décoller la
Renault pendant un long et glorieux moment. A
l'atterrissage, elle évita d'un coup de volant rapide
le bord de la falaise.

Ralph, sur le point de vomir, se sentait tout à fait
incapable de donner des directives à sa prisonnière.
Il se demanda un instant qui commandait, ici, lui
avec son pistolet ou elle avec le volant. Difficile de
trancher!

Au moment où ils atteignaient le sommet d'une
colline, le visage de Joan vira au blanc et Ralph
sentit la bile lui remonter dans la gorge : la route en

contrebas se trouvait barrée par seize jeeps gris et noir! Joan freina de toutes ses forces.

Dans la jeep de tête, Zolo braquait ses jumelles sur Joan. Les hommes de l'escadron de la mort semblaient prêts à faire feu.

Passant en marche arrière, elle écrasa l'accélérateur au moment où Zolo donnait le signal. La jungle colombienne retentit de plusieurs salves, les balles ricochant sur les rochers, se fichant dans les arbres. Pas une balle n'effleura Joan qui reculait en zigzaguant. Une manœuvre tout à fait inédite pour elle!

Jack descendait lentement la route, quand il entendit un grondement étrange, suivi de coups de feu. Jack leva les yeux juste à temps pour voir la Renault déboucher à toute allure d'un virage... en marche arrière!

Stupéfait, il vit l'interminable file des jeeps de Zolo prendre le même virage à fond de train, leurs armes crépitant.

Lorsque la route s'élargit, Joan, d'un coup de volant, fit faire un tête-à-queue à la Renault.

Dans le rétroviseur, elle vit que les jeeps de Zolo gagnaient sur elle. Ralph tremblait des pieds à la tête. Il glissa le sac entre Joan et lui, puis s'arc-bouta des deux mains au tableau de bord.

Joan, hagarde, vit Jack s'enfuir en courant en sens opposé. Si elle ralentissait, elle risquait d'être abattue.

Jack, d'un coup d'œil, tenta d'évaluer la distance qui le séparait du désastre. Se retournant, il s'arrêta à demi pétrifié.

Droit devant lui, dans le lointain, une douzaine de cavaliers arrivaient au grand galop, tous vêtus de cet uniforme gris et noir désormais familier. Jack put distinguer également leurs fusils, leurs ceintures lourdes de munitions et leurs machettes dans leurs étuis.

Joan fixait Jack, immobile au milieu de la route, comme changé en statue de sel. Elle aperçut la troupe à cheval et se mit à hurler. Ralph porta les mains à sa bouche.

Jack était pris entre les feux croisés des cavaliers et des jeeps. C'est alors que, se retournant, il vit la Renault arriver sur lui.

Joan l'évita d'un brusque coup de volant et la voiture fit trois tonneaux, la porte du passager s'ouvrant au troisième tonneau et éjectant Ralph qui roula en soulevant un nuage de poussière.

Jack vit le sac de la Pan Am dégringoler de la voiture et tomber sur la route. Il le saisit et fonça vers la Renault, à longues foulées. Finalement, il parvint à accélérer encore jusqu'à se trouver à la hauteur de la Renault. Il regarda Joan et se rendit compte qu'elle conduisait à tombeau ouvert, sans la moindre intention de ralentir pour lui!

– Freine!

– Ils nous rattrapent!

Joan se pencha et ouvrit la portière. Il effectua un saut parfait et se retrouva assis.

Il n'eut pas le temps de remettre en question la manœuvre de Joan : ils arrivaient sur Zolo et ses jeeps. Les yeux exorbités, il s'arc-bouta dans l'attente de l'inévitable collision.

En entendant hurler les freins et crisser les gravillons, Ralph se releva juste à temps pour voir la Renault effectuer un demi-tour et revenir sur lui. Et, juste derrière la voiture, Zolo et son sinistre escadron de jeeps. Jetant un rapide coup d'œil de l'autre côté, il aperçut les cavaliers qui arrivaient sur lui à bride abattue.

Soudain s'abattit une pluie de projectiles et Ralph se jeta à terre. Le visage contre le sol et les bras autour du corps, il entendait les balles ricocher sur la Renault et frapper la route devant lui, cette route qu'il sentait vibrer sous le galop des chevaux. Dans quelques secondes, il serait écrasé comme une balle de matzo!

Apercevant Ralph au milieu de son chemin, Joan, d'un habile coup de volant à droite, quitta la route. L'une après l'autre, évitant Ralph d'une embardée, les jeeps foncèrent derrière Joan. Au moment où la dernière jeep quittait la route, les cavaliers arrivèrent.

Ralph garda la tête baissée, trop effrayé pour regarder la mort en face. Plus de moteurs rugissants, de chevaux galopants, de fusils tonnants. La mort était donc indolore et silencieuse! Etrange... Avec précaution, il jeta un œil par-dessus son bras mais ne vit que poussière, à moins que ce ne fût un céleste nuage...

Un coup de vent dissipa la poussière et, sa vision se faisant plus nette, Ralph se retrouva devant une muraille de jambes de chevaux. Miraculeusement, il avait été épargné! Mais en fixant les yeux vides des cavaliers, il enfouit de nouveau sa tête dans ses bras, souhaitant être vraiment mort.

Se souvenant encore assez bien du chemin qu'elle venait de parcourir avec Ralph, Joan évitait avec adresse les ornières et les pièges du parcours. Ils approchaient de la rivière mais la Renault se révéla à bout de souffle.

– Ils nous rattrapent! dit Joan après un coup d'œil dans le rétroviseur.

– Et comment! confirma Jack. Cette fois, c'est foutu!

Joan remit les gaz au moment précis où Jack attendait un coup de frein, et il fut rejeté contre le siège. A quelques mètres d'eux apparut une brèche dans le mur de végétation.

– Joan! Où vas-tu?

– Où je vais?

L'accélérateur au plancher, elle traversa les fourrés, descendit en zigzaguant vers la berge et fonça droit dans la rivière.

– A *Lupe's Escape*! cria-t-elle, levant les bras, une lueur de triomphe dans les yeux.

De petits filets d'eau pénétraient par les portières et les vitres trouées par les projectiles. En quelques instants, la voiture se trouva à demi submergée. Avant qu'elle ne touche le fond, un courant violent l'emporta. Tandis qu'ils prenaient de la vitesse, Joan voyait défiler des troncs d'arbres et des rochers. Elle tentait de les éviter en tournant frénétiquement le volant.

En la regardant faire, Jack éclata d'un rire rauque et serra le sac de la Pan Am contre sa poitrine. Il était vivant et, pour faire bonne mesure, il avait le trésor et Joan!

Les jeeps s'arrêtèrent dans un alignement parfait. Zolo hurla des ordres. Giclant de leurs véhicules, les soldats du premier groupe se précipitèrent et ouvrirent le feu sur la Renault tandis qu'une seconde équipe se frayait un passage jusqu'à la rive.

Zolo visa les Américains mais ne réussit qu'à

atteindre le rétroviseur. Lorsque la Renault disparut à un coude de la rivière, la fureur de Zolo se libéra et il jeta son fusil sur le sol, jurant de se venger. Joan, décida-t-il, serait la première à mourir, et d'une mort très lente.

26

Le coude de la rivière dépassé, Jack adressa un sourire de triomphe à Joan et, le sac toujours serré contre lui, il glissa un bras autour de ses épaules, se pencha et l'embrassa.

Certes, cette promenade amphibie était plutôt insolite mais Joan la trouva romantique tandis que Jack l'embrassait. Ils échangèrent un interminable baiser et plus rien n'exista autour d'eux qu'un sourd grondement, vague et lointain.

Soudain, cependant, ils ouvrirent les yeux, se rendant compte que leur seul baiser ne pouvait, à ce point, les faire trembler. Regardant devant eux, ils virent, horrifiés, leur mort toute proche.

A quelques mètres, la rivière plongeait, disparaissant complètement à la vue; le grondement émanait d'une chute abrupte!

– Qu'allons-nous faire? cria Joan.

Jack, serrant contre lui le sac de la Pan Am, réfléchit une fraction de seconde et répondit :

– Sauter!

La Renault tournoyait déjà comme un jouet d'enfant. Au signal de Jack, Joan poussa sur sa portière, tentant de sortir. La portière était bloquée par la force du courant. Lorsque la voiture bascula sur la gauche, Jack put ouvrir sa portière et s'échapper.

Joan continuait à lutter, sans succès; elle était prisonnière. Le grondement devenait plus intense. Elle tenta de descendre la vitre : nouvel échec. Un instant, elle faillit se résigner mais, sous un assaut de l'eau, la portière de Jack s'ouvrit. Joan se dégagea et plongea dans la rivière.

La Renault, entraînée par le courant, bascula dans les chutes et disparut. Joan essaya de crier mais, à chacune de ses tentatives, l'eau s'engouffrait dans sa bouche. Vainement, elle voulut, en nageant, remonter le courant. L'eau était la plus forte, la roulait, l'entraînait irrésistiblement. Le grondement était maintenant assourdissant, elle allait sombrer et mourir.

Epuisé, mais tentant toujours de gagner le bord, Jack nageait vers la rive gauche. Un moment, il s'accrocha à des touffes de roseaux, cracha, souffla. Le sac toujours serré contre lui, il réussit à atteindre la berge et roula sur le dos. Il était vivant, mais où était Joan?

Les jambes tremblantes, il se leva et scruta la rivière. Il entendit une voix crier son nom! Désespérément, il fouilla du regard l'eau écumante, tentant de repérer Joan.

Laissant tomber son sac, il décida de plonger. Il était à un pas de l'eau quand il aperçut, à une vingtaine de mètres en aval, Joan qui émergeait et luttait pour retrouver sa respiration.

– Hé! cria Jack. Hé, Joan Wilder!

Joan leva la tête et vit Jack qui brandissait triomphalement le sac de voyage de la Pan Am.

– Quel retour! cria Jack essayant de couvrir le bruit de la rivière.

Il était émerveillé de la retrouver vivante.

– Ouais, répondit Joan qui, à demi morte, se demanda comment il pouvait se montrer si joyeux et si plein d'énergie.

– Je te croyais noyée!

– Je l'étais!

Elle tenta de se mettre debout, constata que l'effort était trop rude pour elle et retomba. Elle y parvint au second essai.

– Ça va, donc!

– Parfaitement! Super! Seulement, tu es de l'autre côté!

Tout à sa joie de la retrouver vivante, Jack n'en avait pas pris conscience! Et pas le moindre gué pour traverser!

Joan était furieuse à la fois contre la rivière et contre Jack. Rien d'étonnant qu'il soit si joyeux! Il détenait le trésor et elle se trouvait coincée là, de l'autre côté. D'ici à ce qu'il l'abandonne à nouveau!

– Pas moyen de traverser! cria-t-il.

– Essaie!

– Essaie, toi!

– C'est toujours toi qui restes du bon côté!

– Tu parles!

– Et moi?

– Je t'aime!

Ses mots vibrèrent, couvrant le bruit de la rivière, se répercutant dans la tête de Joan. Elle avait si désespérément souhaité les entendre lorsqu'il lui faisait l'amour. Mais était-il vraiment sincère?

– Viens! supplia-t-elle.

– Je te rejoindrai à Cartagena. Hôtel Emporio, d'accord? Dirige-toi vers le soleil couchant, c'est tout. Tu y arriveras... et je te retrouve là-bas.

Joan, furieuse, descendit le long de la rivière.

Mais à quoi donc jouait Jack Colton? Elle aurait aimé pouvoir l'étrangler!

– Tu crois que je vais avaler ça? Alors que tu as *El Corazón* dans ta poche! Et ma sœur, que devien-elle dans tout ça?

– Tu as la carte!

– Et toi tu as la pierre!

Avant que Joan puisse en dire davantage, plu-sieurs coups de feu retentirent au loin. Jack et Joan plongèrent l'un et l'autre dans l'épaisse végétation de leur rive respective.

Zolo et son escadron avaient atteint le sommet des chutes juste à temps pour voir Joan rouler sur la berge. Zolo ne repéra pas Jack sur l'autre rive et pensa qu'il s'était noyé.

Un sourire fugitif passa sur ses lèvres tandis qu'il donnait ses ordres. Balançant leurs grappins sur la falaise rocheuse, les hommes de Zolo descendirent. Quand il les vit atteindre sains et saufs la rive, il ordonna à sa seconde équipe de se mettre en position de tir.

Furtivement, la première escouade progressait le long de la rivière, à l'abri du sous-bois. Zolo obser-vait le mouvement de ses hommes, sans pour autant perdre Joan de vue.

Lorsqu'elle avait émergé, Zolo avait découvert, tout surpris, qu'il applaudissait à son exploit, à sa victoire sur la mort. Bien plus, il la respectait. Joan Wilder était une femme extraordinaire. Bien qu'il ne doutât pas de la vaincre, il appréciait son coura-ge. Un instant, il souhaita presque qu'elle réussisse à lui échapper.

Il jugea préférable de saisir son talkie-walkie et de donner ordre à la première équipe de s'appro-cher davantage.

Le lieutenant informa Zolo que Jack, toujours vivant, se trouvait à portée de fusil sur la rive opposée. Zolo ordonna à ses hommes de tirer.

Jack se tenait debout sur la rive. Les yeux de Joan l'imploraient. Comme elle était belle, songea-t-il, pieds écartés, les mains sur les hanches, ses vêtements plaqués contre son corps. Malgré la distance, il distinguait les lignes de ses fabuleuses longues jambes. Une émotion inconnue l'envahit. En cet instant, il aurait voulu tout lui dire : Jeannine et Billy, sa vie à New York, ses parents auxquels il la présenterait. Il voulait qu'elle sache qu'il serait toujours là quand elle aurait besoin de lui, pour la protéger et la réconforter. Et tout cela était impossible.

– Fais-moi confiance ! cria-t-il en lui envoyant un baiser.

Un dernier regard. Pourrait-elle le rejoindre à Cartagena ?

Au moment où il levait le bras, une volée de balles frappa le sol à ses pieds. Il se réfugia sous les fourrés tandis que Joan disparaissait à son tour au milieu des arbres.

Selon la théorie de Darwin, seuls survivent les individus les mieux adaptés. Joan, en s'enfonçant dans la jungle, priait pour que cette théorie souffre une exception. Elle n'était sans doute pas « adaptée » mais assurément déterminée. Et elle se souvint de tous les conseils de Jack, de tous les « trucs » dont il usait.

A mesure qu'elle avançait, les perceptions de Joan se faisaient plus aiguës et, pour la première fois, elle prit conscience de la direction du vent, de la texture du sol, du dessin des racines qui paraissaient sortir de terre pour s'accrocher à ses chevilles. Au cours de la première heure de marche, elle avait été victime des branches d'arbres, petites et grandes, qui avaient lacéré son visage et ses bras, déchiré sa robe. Maintenant qu'approchait la fin de l'après-midi, elle découvrit qu'elle parvenait à prévoir et à éviter les heurts. Lorsque le vent tourna, Joan modifia légèrement sa direction et évita les branches basses qui risquaient de lui cingler le visage.

De même, elle évita le côté rocheux des collines pour demeurer sur les pentes exposées au nord, herbeuses et boisées. Lorsqu'elle atteignait le sommet d'une colline, elle fixait son regard sur un point de la colline suivante et en faisait son but. Ainsi, découvrit-elle, elle ne se décourageait pas et conservait une allure constante.

Le climat des collines n'était ni aussi chaud ni aussi humide que celui de la jungle et Joan constata qu'il lui restait encore des forces alors que le soleil commençait à se coucher. Son « entraînement » se révélait utile et elle fut très fière de la distance parcourue. Elle se trouvait maintenant au sommet de la troisième et de la plus élevée des collines. De son observatoire, elle apercevait la rivière, au loin.

Tandis que le soleil disparaissait rapidement, Joan vit les vertes collines prendre des tons de bleu-violet profond et le ciel se strier de bandes roses, mauves, et lavande. Les couleurs de la robe que Jack lui avait achetée. Elle sentit les larmes lui monter aux yeux.

Refusant de céder à ses émotions alors que sa vie même se trouvait en jeu, elle pensa pouvoir parvenir, avant la tombée de la nuit, à un épais bosquet d'arbres sur l'autre versant.

Prudemment, Joan descendit la pente qui se

révéla plus abrupte qu'elle ne l'aurait cru. En s'accrochant aux branches pour ne pas perdre l'équilibre, elle y parvint en moins de quinze minutes. Lorsqu'elle arriva au bosquet de cinchonas, les massives branches avaient occulté les derniers rayons du soleil et le voile opaque de la nuit descendait sur la forêt.

Elle se laissa tomber dans le creux d'un arbre abattu. Déjà, l'air se faisait plus froid et elle se pelotonna sur elle-même, se couvrit les chevilles de sa jupe et écouta intensément les bruits de la forêt.

Cette fois, elle reconnaissait les sons, sachant faire la différence entre un cacatoès et un coq de roche. Elle n'entendit ni lions ni hyènes ricanantes ni voix humaines. Pour quelque temps, elle était sauve.

Compte tenu de son épuisement, elle aurait dû s'endormir immédiatement, mais elle ne songeait qu'à Jack. Son instinct et ses sens s'étaient trouvés en alerte tout l'après-midi, la guidant, l'aidant à survivre; et ce même instinct lui disait maintenant qu'elle ne reverrait jamais Jack. Elle s'abandonna à ses larmes.

Elle s'en voulait d'être la victime d'un romanesque qui n'était que trompe-l'œil et chimères. Elle le savait mieux que quiconque! Elle avait permis à Jack de profiter de sa vulnérabilité. Elle était coupable.

Quant à lui, depuis le début, il n'avait eu qu'une idée fixe : mettre la main sur la fameuse carte!

Oui, Jack Colton n'était qu'un mercenaire, un aventurier, et elle, Joan Wilder, s'était conduite comme une sotte.

Non seulement elle s'était éprise d'un gredin, mais encore elle mettait la vie de sa sœur en danger. Si elle ne jouait pas son rôle avec habileté lorsqu'elle serait en face des ravisseurs, Elaine le paierait de sa vie. Jamais elle ne permettrait que cela se produise et elle résolut de tout faire pour laisser croire aux ravisseurs que la carte était toujours valable et précieuse...

Une forte rafale de vent secoua les arbres et Joan remonta ses genoux contre elle davantage encore, pour se tenir chaud. De nouveau, elle guetta. Les oiseaux dormaient et seul le chant des cigales rompait le silence. Elle appuya sa tête sur la mousse, soulagée de ne pas courir de danger immédiat.

Elle se demanda si la *policia* était aux trousses de Jack, pressentant, d'une manière ou d'une autre, qu'il détenait le trésor. Peut-être l'avaient-ils déjà capturé. Avait-il été torturé, puis mis à mort?

Joan frissonna d'horreur. Non, elle ne voulait pas croire cela! Il fallait que Jack soit vivant! Il ne pouvait l'abandonner maintenant, pas à un moment où elle se sentait tellement furieuse contre lui! Pas à un moment où elle l'aimait encore!

Les larmes lui ruisselaient sur les joues, tandis qu'elle le revoyait, debout sur la rive, lui criant qu'il l'aimait. Il l'avait dit! A peine y avait-elle prêté attention, sur l'instant, tant sa colère était grande à la pensée qu'il détenait toujours l'émeraude. Mais il l'avait bien dit, non?

Elle sourit à travers ses larmes. Jack l'aimait! Comment avait-elle pu être sourde à ces mots qui comptaient pour elle plus que tout?

Une idiote, une sacrée idiote, voilà ce que je suis, se dit-elle.

Jamais elle ne s'était sentie aussi désespérée. Il n'y avait qu'une chance sur deux que Jack soit vivant et s'il l'était, il devait la considérer comme une garce au cœur de pierre! Cette fois, elle aurait souhaité être vraiment une pierre; elle eût moins souffert. Jack l'aimait et elle était là, à le juger, à nier leur amour. Il lui avait demandé de lui faire confiance! L'amour et la confiance, quoi de plus simple? Pourquoi en était-elle incapable? Elle s'était frayé un chemin à travers une jungle impénétrable, avait échappé aux balles et aux assassins, avait parcouru à tombeau ouvert des routes dangereuses, et voilà qu'elle ne parvenait pas à faire confiance à l'homme qu'elle aimait!

Elle tenta, sans succès, d'apaiser ses sanglots. Jack Colton... nom de Dieu! gémit-elle tandis que ses yeux se fermaient malgré elle.

Zolo jeta par-dessus son épaule un coup d'œil au soleil qui se couchait et jura. Dans l'obscurité, inutile de continuer à rechercher Joan Wilder. Elle avait sûrement laissé dans la forêt des traces aisément discernables. Demain, dès le lever du jour, ce serait un jeu de retrouver sa piste...

Parce qu'il admirait sa ténacité et, plus encore, parce qu'elle détenait toujours la carte, c'était Joan Wilder, pensait-il, qui constituait la proie la plus intéressante. En outre, Zolo projetait une célébration toute particulière pour Joan et lui, une fois qu'il l'aurait capturée. Ce serait une affaire très privée et qui se terminerait par la mort de Joan.

27

Par définition, un cauchemar est un rêve effrayant accompagné d'un sentiment de dépression qui réveille le dormeur. Ce peut être également une expérience qui provoque un sentiment de terreur. Pour Joan Wilder, blottie au creux d'un arbre au milieu de la forêt colombienne, ces rêves nocturnes où elle était torturée à mort par des soldats en uniforme, aux yeux vides, apparaissaient à peine moins terrifiants que la sinistre réalité.

Anesthésiée par l'épuisement et la peur, Joan eut du mal à faire la différence entre les hurlements et les cris des animaux de la forêt et ceux de son cauchemar. L'atmosphère, autour d'elle, semblait vivante de bruits qui paraissaient lui faire signe. Joan se blottit davantage encore sur elle-même, mais bientôt les bruits devinrent plus intenses.

Dans son rêve, ses tortionnaires l'injuriaient, puis riaient lorsqu'elle hurlait de douleur sous les tortures infligées. Elle gémissait dans son sommeil et les suppliait d'avoir pitié. Ils se moquaient d'elle, lui promettant la liberté si elle s'éveillait. Elle préféra s'enfoncer dans le sommeil et les laisser poursuivre leurs jeux atroces.

Ils fouettèrent Joan avec un chat à neuf queues

jusqu'à ce qu'elle ne puisse plus supporter la souffrance. Elle distingua une vive lumière. L'un de ses tortionnaires lui murmura à l'oreille que cette lumière signifiait la mort. Joan se moquait de la mort. A cette lumière s'ajoutèrent des grondements. Le tonnerre, elle le savait.

Joan continuait à écouter le tonnerre. Elle sortit en rampant du creux de l'arbre et avança en titubant vers la lumière.

Le tonnerre emplissait ses oreilles et la lumière l'aveuglait presque, mais Joan se mit à courir plus vite. Elle commençait à entendre un bruit rythmé, régulier, et un sourire apparut sur son visage tandis que sa vision se faisait claire et qu'elle s'éveillait complètement.

L'un après l'autre, les wagons de marchandises d'un train de nuit passèrent à côté de Joan. Elle se mit à courir plus vite encore le long du train et tenta de saisir une barre, mais elle échoua. La seconde fois, allongeant davantage le bras, elle parvint à l'attraper et à se hisser. En trois mouvement rapides, elle se retrouva dans le wagon, levant les bras en signe de triomphe, disant adieu à la forêt tropicale.

A midi trente-cinq, le hall de l'hôtel Emporio de Cartagena regorgeait d'hommes d'affaires très dignes et de femmes élégantes. Dans les jardins, le restaurant avec ses meubles d'osier blanc, ses nappes roses et ses bouquets de fleurs, était plein de clients sirotant des cocktails ou bavardant pardessus leurs salades de fruits de mer.

Depuis des décennies, l'hôtel Emporio se vouait à une politique de perfection et de prestige. Chaque élément du décor – tapis chinois, sièges Hepplewhite recouverts de brocart, lustres baroques français – proclamait que cet hôtel représentait un summum de raffinement.

Lorsque le directeur de l'hôtel, qui constituait lui-même un exemple dont chaque employé tentait de s'inspirer, leva les yeux de son bloc-notes et découvrit devant lui une femme en haillons, hébétée, la chevelure en bataille pleine de feuilles mortes et de brindilles, il faillit perdre son sang-froid.

Joan se pencha sur le marbre blanc veiné d'or de la réception, fixa l'homme de ses yeux injectés de sang et lui dit d'une voix paraissant altérée par l'abus de rhum :

– Je suis Joan Wilder. J'ai une réservation. Je voudrais votre plus grande suite avec la plus grande baignoire possible. Faites monter une bouteille de vin rouge. Je commanderai le dîner dans ma chambre et prévenez-moi dès que Jack Colton se présentera.

Le directeur de l'hôtel vira instantanément sur ses talons, brandit une clé et ordonna à un garçon d'accompagner la dame au plus tôt. Tandis que Joan se dirigeait vers les ascenseurs, le directeur de l'hôtel jeta un regard furtif dans le hall, craignant quelque scandale. Rien ne se produisit. Il poussa un soupir de soulagement et se replongea dans son bloc-notes.

Le garçon ayant ouvert les rideaux, réglé l'air conditionné, indiqué l'emplacement des placards et de la salle de bains, Joan le congédia et marcha tout droit vers le téléphone. Elle composa le numéro indiqué par les ravisseurs. On décrocha immédiatement.

Ira parut ravi de l'entendre.

– Ainsi, vous voilà enfin. Vous avez la carte ?

– Oui, je l'ai. Puis-je parler à Elaine?

– Une fois que j'aurai la carte, répondit-il laconiquement. Maintenant, voilà ce que vous allez faire. Vous voyez le fort de l'autre côté de la baie? La tour?

Joan traversa la pièce, ouvrit la porte-fenêtre et sortit sur la terrasse. Elle revint au téléphone.

– Oui, répondit-elle, regardant toujours vers la baie.

– Prenez le canot-taxi juste devant l'hôtel. Rendez-vous ici ce soir, à neuf heures. Toute seule. D'accord?

– Oui, d'accord, mais...

Avant qu'elle puisse en dire davantage, il raccrocha, anéantissant ses espoirs de parler à Elaine. Un instant, elle fut prise de panique, se demandant si Elaine était encore vivante, mais elle chassa cette idée. Elle était allée trop loin, avait trop lutté pour que cela se termine mal.

Elle raccrocha et, pour la première fois, se regarda dans la glace. Quel spectacle! Pas un centimètre de sa peau qui ne fût sale, contusionné, griffé. Sa belle robe n'était plus qu'une guenille et il lui faudrait des heures pour démêler ses cheveux.

De nouveau, Joan décrocha le téléphone et appela le service : elle commanda un steak épais, garni de pommes vapeur et de légumes, une salade, des petits pains et deux parts de flan comme dessert. Il lui fallait des forces, tant physiques que morales, pour affronter l'épreuve de la soirée.

Elle appela la boutique et demanda qu'on lui monte un peigne, une brosse, du shampooing et des objets de toilette. Elle s'enquit des heures d'ouverture de la boutique voisine et apprit qu'ils acceptaient les traveller's chèques de l'American Express.

Simultanément arrivèrent le repas, le vin et les objets de toilette. Il lui fallut moins de vingt minutes pour avaler son repas et, tandis qu'elle se faisait couler un bain chaud, elle dévora le premier des deux flans.

Après quatre shampooings, les dernières feuilles de la forêt disparurent en tourbillonnant dans la baignoire. Une heure de détente dans l'eau apaisa la plupart de ses blessures tandis que le vin calmait la douleur de ses contusions. Un long bain d'yeux fit merveille. A trois heures, elle avait presque recouvré un visage humain.

– Est-ce que M. Jack Colton est arrrivé? demanda-t-elle, appelant la réception.

Le directeur l'informa, avec toute la courtoisie requise, que M. Colton n'était pas arrivé.

Joan raccrocha, plus déçue qu'elle ne voulut l'admettre. Bien qu'elle eût réussi à sauter dans un train pour Cartagena, elle pensait que Jack aurait dû être arrivé, à cette heure. Elle tenta de se convaincre qu'elle pouvait encore lui accorder deux heures avant de s'alarmer.

En attendant, elle ne pouvait rester ainsi dans une robe déchirée, presque indécente. Quelques emplettes vestimentaires s'imposaient. Quittant sa chambre, elle descendit à la boutique.

En temps ordinaire déjà, les emplettes n'étaient pas la spécialité de Joan. A présent, inquiète pour sa sœur et pour Jack, rien d'étonnant à ce qu'elle ne parvienne pas à se décider entre un chemisier de Gianfranco Ferré qui allait avec une jupe de cuir noir collante et une jaquette de lin bien coupée de Perry Ellis avec jupe étroite assortie, couleur cacao. Elle choisit le Ferré, se demandant si le couturier milanais serait contrarié qu'elle porte son ensemble en de pareilles circonstances. Equipée de chaussures noires à hauts talons et d'un nouveau sac à bandoulière, elle quitta la boutique.

Joan remonta dans sa chambre, appela une compagnie aérienne et retint une place pour Elaine et pour elle à destination de New York. Départ à zéro heure quinze. Elle n'avait nulle intention de perdre son temps en bavardages avec les ravisseurs d'Elaine. Elle retint un taxi qui les conduirait à l'aéroport.

A dix-sept heures quinze, le second flan fini et la bouteille de vin vidée, Joan, les mains tremblantes, appela la réception.

– Jack Colton est-il arrivé?

Cette fois, le directeur de l'hôtel se montra plus brusque et sa réponse ne fit rien pour apaiser les craintes croissantes de Joan. Ses cauchemars de la forêt lui revinrent, mais cette fois les cris n'étaient pas les siens mais ceux de Jack.

28

Ce n'est guère long, trois heures, et cependant les nerfs de Joan furent mis à vif au cours de ces cent quatre-vingts minutes. Elle appelait la réception une fois par minute au moins. L'heure du rendez-vous avec les ravisseurs approchait et toujours aucun signe de Jack.

Lorsqu'elle sortit de l'ascenseur et se dirigea vers la réception, les autres clients furent frappés par son regard farouche et désespéré à la fois. Elle ne leur prêta nulle attention, essayant de maîtriser son angoisse quant au sort de Jack. Elle plaça tous ses espoirs dans la réponse que lui ferait le directeur de l'hôtel.

Il eut un mouvement de recul en la voyant approcher, mais s'efforça de sourire.

– Jack Colton est-il arrivé?

– Pas au cours des deux dernières minutes, non.

Joan refoula les larmes qu'elle sentait monter, tourna le dos au directeur et se précipita vers la sortie.

Un épais brouillard côtier s'était abattu sur le premier port de mer de la Colombie, empêchant Joan de distinguer quoi que ce soit à plus de deux mètres. Regardant autour d'elle, elle ne remarqua pas la longue Lincoln noire aux vitres teintées garée de l'autre côté de la rue, en face de l'hôtel.

Joan traversa et suivit le trottoir jusqu'à la jetée. Elle passa devant des bateaux de pêche bien alignés, à l'ancre. Elle entendait l'eau clapoter contre les piliers de bois de la jetée. Elle atteignit l'extrémité du môle où elle espérait trouver le canot-taxi.

Tout au bout de la jetée attendait un homme âgé, en jeans fatigués et en tricot à manches courtes qui révélait de nombreux tatouages. Coiffé d'une casquette à longue visière, il l'accueillit d'un sourire édenté. Son anglais se révéla suffisant pour discuter le prix de la course jusqu'à la tour. D'un bras ferme, il aida Joan à grimper dans le bateau et mit le moteur en marche. Ils s'éloignèrent du quai.

Une Ford LTD 1976, sans air conditionné ni radio, récemment repeinte dans le bleu électrique de la compagnie des taxis de Cartagena, s'arrêta devant l'hôtel Emporio. Jack Colton en descendit, régla le chauffeur avec ses derniers pesos et se précipita dans l'hôtel.

Pour la seconde fois de la journée, le directeur de la réception crut défaillir à la vue de cet Américain débraillé qui, porteur d'un sac de voyage de la Pan Am, arriva à son comptoir et annonça qu'il était Jack Colton. Lorsqu'il l'informa que Joan Wilder venait juste de quitter l'hôtel, Jack le fit sursauter en lançant un chapelet d'injures aussi sonores qu'expressives. Après quoi, il traversa le hall en courant et se jeta dans la rue.

Jack traversa la rue en trombe et fonça vers le môle sans remarquer, lui non plus, la Lincoln noire.

Martelant la jetée de sa course, Jack arriva à temps pour voir disparaître le canot.

– Joan! hurla-t-il dans le brouillard, Joan!

Le bruit du moteur du bateau s'évanouit et il se rendit compte qu'elle n'avait pu l'entendre. Avant que Jack puisse réfléchir... clic!

Un pistolet qu'on armait contre sa tempe.

Une odeur de pourriture plusieurs fois centenaire assaillit les narines de Joan lorsque le canot la déposa au petit pont de bois qui menait au fort espagnol. Joan se pencha par-dessus la rampe et un pressentiment l'envahit. Soudain elle ne fut plus sûre de rien et en particulier d'elle-même. Il ne fallait pas qu'elle se laisse envahir par la peur. Elaine l'attendait!

Plusieurs centimètres de moisissure collaient aux blocs de pierre à chaux qui constituaient les fondations et les murs. Joan pénétra dans l'enceinte, fouillant des yeux les coins sombres et les encoignures de porte. La brume créait des ombres inquiétantes; elle sentait la mort suspendue dans l'air. Si elle avait eu à écrire un roman médiéval, elle n'aurait pu choisir un cadre plus approprié.

Les Espagnols avaient commencé la construction de ce fort en 1578 pour protéger la ville des Anglais et des pirates. Les Indiens chibchas, alors soumis aux Espagnols, taillèrent les pierres des montagnes voisines et les transportèrent sur place au moyen de chariots de bois tirés par des chevaux et des mulets. Il avait fallu environ dix ans pour achever ce fort à l'architecture hasardeuse.

Au niveau de la mer, on y trouvait une jetée de pierre où pouvaient accoster de petits bateaux. Un escalier de fer menait de la jetée au niveau où Joan se trouvait maintenant. Quatre ailes, qui partaient

225

du corps principal et qui jadis abritaient les quartiers des officiers, les dortoirs et les cuisines, évoquaient les points cardinaux d'une boussole. Au centre du corps principal, haut de trois étages, jaillissait une tour de quarante pieds. De là-haut, à des milles à la ronde, on pouvait repérer tout bateau qui approchait.

Elle remarqua les barreaux de fer des fenêtres au-dessus d'elle et se demanda combien d'individus avaient injustement été emprisonnés là. Elle avait lu un jour, dans le *National Geographic Magazine*, que ce fort était hanté. Deux parapsychologues s'y étaient livrés à des investigations et en avaient ramené des photos révélant des ombres ectoplasmiques : on pensait qu'il s'agissait d'esprits frappeurs. A l'époque, Joan n'avait pas pris cet article très au sérieux, mais en y regardant de plus près, elle crut apercevoir une lueur verdâtre à la hauteur de la quatrième fenêtre à gauche.

Joan frissonna tandis que la lueur se faisait plus brillante. Elle se força à détourner le regard mais ne parvint qu'à cligner des yeux. En regardant de nouveau, la lueur avait disparu. Fruit de son imagination ou fantôme authentique ? Rapidement, Joan longea la muraille.

Un cargo, mouillé à proximité, déversait des flaques de lumière par ses nombreux hublots tandis qu'elle traversait une étendue marécageuse.

– Il y a quelqu'un ? appela-t-elle, toute surprise de la fermeté de sa voix.

Pas très loin d'elle, elle entendit l'eau bruire un bref instant. Puis lui arriva du marécage un curieux bruit de battements. Elle s'arrêta, aux aguets : quelque chose lui disait que ces bruits n'étaient pas humains.

Joan avança lentement, passa sous un palmier et

scruta la brume qui se faisait de plus en plus épaisse. Quelque part, une voix ordonna :

– Arrêtez-vous là!

Joan obéit, craignant presque de respirer.

– Montrez la carte, dit la voix.

– Qui êtes-vous? demanda Joan en fouillant dans son sac.

– Montrez la carte, répéta durement la voix.

– Montrez-moi Elaine.

C'est alors qu'apparut Elaine, les bras liés dans le dos, les lumières éclairant son visage terrorisé. Joan ne put distinguer l'homme derrière elle, mais manifestement il n'allait pas la libérer avant d'avoir eu satisfaction.

Elaine eut le souffle coupé à la vue de la femme debout en face d'elle. Elle avait cru reconnaître la voix de sa sœur, mais Joan ne portait jamais de pareils vêtements et elle apercevait une masse de boucles libres tout aussi insolites. Etait-ce une autre femme? Si quelque chose était arrivé à Joan, elle ne se le pardonnerait jamais.

– Joan? appela Elaine.

La femme tourna le visage et sourit. Elaine poussa un soupir de soulagement : c'était bien Joan.

– Déposez la carte et reculez, fit la voix.

Joan s'exécuta et vit le ravisseur d'Elaine sortir de l'ombre, courtaud, chauve, dépenaillé. Sans doute ne ressemblait-il pas au personnage sinistre qu'elle avait imaginé, mais elle se montra assez avisée pour ne pas sous-estimer le danger. Il disposait de la vie d'Elaine et de la sienne. Lorsqu'il arriva près d'elle, Joan lui lança un regard chargé de toute la colère et de toute l'angoisse refoulées depuis l'instant où elle avait reçu le coup de fil d'Elaine à New York.

Comme elle aurait souhaité être armée! Elle aurait pressé la détente sans le moindre remords!

Ira retourna à Joan un regard tout aussi noir.

– Si c'est pas la bonne et si vous en avez bricolé une autre... dit-il en récupérant la carte.

Il tira de sa poche une lampe-crayon qu'il braqua sur la carte.

Joan scrutait son visage, évaluant ses réactions. Il ne paraissait pas content. Ses yeux se rétrécirent, ses sourcils se froncèrent, menaçants. Joan remarqua la ligne mince de ses lèvres et la crispation de sa mâchoire. Tandis qu'il examinait la carte plus attentivement, un tic nerveux apparut à sa tempe.

Joan rassembla ses forces, les poings serrés.

Ira, sortant sa loupe, scruta la carte de plus près encore, dans un silence de mort. Enfin, Ira leva sur Joan ses yeux glacés, il était capable de meurtre.

– Joan Wilder... vous et votre sœur... (La voix était lourde de menaces, puis, soudain, il laissa tomber les derniers mots :)... pouvez partir.

Ira termina sa phrase en riant de son petit effet.

Deux malabars, vêtus comme des débardeurs, mais armés, avancèrent dans la lumière.

– Joannie! s'exclama Elaine en se précipitant vers sa sœur.

– Viens, Elaine. Nous rentrons.

Joan lança un dernier regard à Ira. Elles n'avaient pas fait deux pas quand une rafale de mitraillettes déchira la nuit, traçant une ligne de projectiles devant Joan, à quelques centimètres de ses pieds.

Deux hommes en uniforme gris et noir jaillirent de l'ombre et abattirent la crosse de leurs armes sur la tête des deux débardeurs qui s'écroulèrent.

Une silhouette sombre émergea de derrière un palmier, ses bottes brillantes et l'éclat de son arme seuls visibles dans la pénombre. Ira sentit dans son cou l'acier froid d'un canon de pistolet. Il leva les bras.

Et, comme par enchantement, Jack apparut soudain en pleine lumière. Joan sourit instantanément et allait se précipiter vers lui quand elle sentit un fusil pointé dans son dos. Elle se raidit en voyant trois autres soldats émerger de l'ombre et les encercler, Elaine et elle. Des fusils furent pointés droit sur elles.

En regardant Jack dans les yeux, Joan sut qu'il était revenu pour elle. Il lui avait dit qu'elle pouvait lui faire confiance et elle ne l'avait pas cru, pas vraiment. Certes, elle avait prié pour sa vie, elle avait espéré son retour, mais... Tandis qu'il se tenait là, devant elle, Joan sut que, désormais, elle pourrait toujours faire confiance à Jack.

Jack souhaitait terriblement que Joan ne le regarde pas ainsi, comme son sauveur. Il se sentait heureux qu'elle ait survécu mais, cette fois, il ne voyait aucune issue. Ah, il s'était montré malin de conduire ce maniaque tout droit à elle! Il ne possédait aucune arme pour la défendre. Il lui faudrait compter sur sa seule intelligence et, avec le canon d'une arme dans le dos, il ne se sentait pas l'esprit particulièrement vif!

C'est alors que sur la gauche de Jack, un peu plus loin, s'alluma un briquet dans l'obscurité, éclairant le visage de Zolo. Le triomphe s'y lisait. Allumant son cigarillo, il s'avança dans la lumière d'un pas nonchalant, tel un metteur en scène sur le point de donner ses directives. C'était la fin de la pièce et le rideau allait tomber sur Joan et Jack.

29

La lubricité brillait dans le regard de Zolo tandis qu'il contemplait Joan. Ses yeux glissèrent sur son corps, s'attardant sur ses jambes et ses seins.

Joan, clouée sur place, le défi dans les yeux, tendue à hurler, observait Zolo, consciente qu'il s'intéressait davantage à elle qu'à la carte. C'était un sadique et, si elle en avait le loisir, elle se jura de ne pas lui rendre la tâche facile. Elle l'eût étranglé avec délices! Sa fureur s'accrut lorsqu'elle l'entendit rire puis le vit jeter négligemment son cigarillo en se détournant. Cela faisait partie du jeu, songea-t-elle, certaine qu'il reviendrait s'occuper d'elle.

Zolo marcha sur Ira et, calmement, tendit la main. Ira lui remit la carte. Zolo la regarda et la tourna en tous sens. Puis il alluma son briquet et y mit le feu.

Ira, le souffle coupé, observait la scène.

Zolo lui ricana au nez et laissa tomber le papier sur le sol. Ira se précipita, horrifié, espérant écraser le feu avant que le document ne devînt inutilisable.

Zolo jeta un regard sur le spectacle à ses pieds.

– Cette carte ne vaut plus rien!

A cet instant, Ralph apparut en pleine lumière, entre deux soldats.

Zolo fit un signe à son lieutenant, qui tenait Ralph d'une poigne de fer, et dit :

– Ils ont déjà la pierre.

Ira, ahuri, regarda Ralph qui adressa un sourire penaud à son cousin.

– Je l'avais, Ira, dans mes mains. Magnifique ! Tu aurais dû...

Zolo saisit le bras de Ralph et, d'un geste négligent, l'envoya bouler contre le mur de pierre. Le souffle coupé, Ralph s'écroula.

Zolo prit un autre cigarillo et l'alluma, lançant, un instant, un regard dur à chacun de ses prisonniers. Méthodiquement, il allait de droite à gauche, réfléchissant à sa stratégie. Il passa un coup d'œil par-dessus le petit mur de brique. Il s'arrêta un instant puis retira le cigarillo de sa bouche et le jeta par-dessus le mur.

Rapide comme l'éclair, un énorme crocodile aux curieuses raies jaunes se précipita, bientôt suivi de plusieurs de ses congénères. Les monstres étaient à présent bien visibles.

Lorsque Zolo quitta des yeux le marécage et se dirigea vers elle, Joan pensa n'avoir jamais vu un visage aussi féroce, aussi cruel. Elle le détestait de chaque fibre de son être et il le savait. Et il en jouissait...

Elaine se tapit derrière Joan tandis que Zolo approchait. Elle ne comprenait pas qui étaient ces hommes et comment sa sœur paraissait les connaître.

Son visage à quelques centimètres de celui de Joan, ses yeux noirs fixés dans les siens, Zolo demanda, dans un souffle glacé :

– Où est-elle ?

– Je ne sais pas!

– Où est la pierre?

– Je ne... bégaya Joan en voyant le regard de Zolo se faire plus menaçant.

Elle devina le mouvement de son bras qui allait saisir son pistolet.

– Nous avons creusé, il n'y avait rien.

Zolo n'en croyait pas un mot et elle le savait.

– Il l'a vue, dit-il en désignant Ralph.

– C'est un menteur! Il ment!

Zolo se raidit et aboya des ordres en espagnol à deux de ses hommes qui se saisirent de Joan et la traînèrent jusqu'au mur. Un instant, elle lutta et tenta de se libérer mais l'un d'eux lui cogna dans les côtes avec brutalité.

Aussitôt, Jack tenta de bondir vers elle, mais le soldat qui se trouvait derrière lui, lui enfonça son pistolet dans le dos. Jack scruta les environs : non, aucune fuite n'était possible. Il se sentit envahi par le désespoir.

Zolo s'avança vers Joan d'un mouvement reptilien évoquant celui des crocodiles qui glissaient dans le marécage putride derrière eux. Elle suffoqua lorsque Zolo lui prit la main. Avec une élégance de dandy, il porta la main de Joan à ses lèvres.

Son contact parut froid et humide à Joan et elle faillit perdre connaissance à la seule pensée des mains de cet homme glissant sur son ventre et sur sa poitrine. Il ne devait pas couler de sang dans ses veines, pensa-t-elle.

Il la força à le regarder tandis qu'il parlait.

– Les crocodiles versent des larmes en dévorant leurs proies. Je suis sûr que vous avez entendu parler des larmes de crocodile, mais les avez-vous déjà vues?

D'un mouvement rapide, Zolo fit jaillir son stylet

dont la lame jeta un éclair d'argent, tandis que Joan la regardait s'abattre et entailler profondément sa main. Elle crut hurler de douleur mais se mordit la langue.

– Arrêtez! hurla Jack, tentant de se libérer.

Un soldat enfonça son fusil dans l'estomac de Jack qui se plia sous la douleur. La vision de Jack se fit trouble et il dut lutter pour demeurer debout. Il plissa les yeux, tentant de dissiper le brouillard qui les couvrait, regarda Joan et lui souffla :

– Je t'aime.

Elle ne quittait pas Jack du regard, se disant qu'ainsi elle ne ressentirait plus ni douleur ni crainte. Elle plaçait tout son espoir, toute sa confiance en lui. Il trouverait un moyen... il la sauverait.

L'un des soldats resserra son étreinte sur le bras de Joan. De nouveau, elle grimaça. Zolo s'empara de ce bras, le faisant passer par-dessus le muret et, avec un plaisir sadique, l'abaissa lentement, presque à portée des crocodiles. Zolo tenait son visage tout près du sien et, de nouveau, elle sentit son haleine froide sur sa joue.

Il appuya son corps contre celui de Joan, tirant plus fort encore sur son bras. Il tirait un plaisir sexuel de la torture qu'il lui infligeait.

Elle se trouvait sans défense face à Zolo. Elle entendit l'eau clapoter tandis que les crocodiles approchaient de sa main. Le bruit se fit plus intense. Elle sentit des écailles rugueuses effleurer le bout de ses doigts et tenta de se dégager. Elle ne réussit qu'à se plaquer davantage contre Zolo. Il arborait un sourire mauvais. Qui était le plus dangereux? se demanda-t-elle. Les crocodiles ou Zolo?

Elle retrouva le regard de Jack. Elle lui faisait

toujours confiance mais était-il en son pouvoir d'agir, de la sauver?

– Vous pouvez éviter ce supplice, dit Zolo. Parlez, simplement. Où est *El Corazón*? Où est le cœur?

– C'est bon! C'est bon! hurla Jack. Vous le voulez? Je vais vous dire où il est.

Zolo grimaça un sourire à l'adresse de Joan et libéra son bras.

– C'est, euh... dit Jack, hésitant. Il y a un bar, en descendant en ville, je crois que ça s'appelle *Chez Lupe*. J'y ai rencontré une femme. Elle a gagné la pierre, au poker. Bon Dieu, fallait voir ça!

Joan grimaça. Manifestement, il tentait de gagner du temps, mais cela marcherait-il?

De nouveau, Zolo se tourna vers Joan, lançant à Jack un grognement dédaigneux.

– J'espère qu'il fait mieux l'amour qu'il ne ment!

Jack lut le désespoir dans les yeux de Joan. Leur salut dépendait de lui et il ne détenait plus aucun atout. Même s'il leur donnait l'émeraude, il doutait sérieusement de leurs chances d'en réchapper. Joan n'avait pas pensé à cela, il le savait. Zolo était un homme désespéré qui avait tué au moins une fois pour avoir l'émeraude et peu lui importaient quelques cadavres de plus dans un marécage.

Zolo saisit le bras de Joan et, de nouveau, la contraignit à passer la main par-dessus le muret.

Elle entendit les crocodiles faire claquer leurs mâchoires. Elle allait hurler. Elle lutta pour se contrôler et chercha le regard de Jack. Elle craignait maintenant qu'il ne l'abandonne. Ce n'était qu'un homme et il ne pouvait plus rien pour elle.

– D'accord, d'accord. Je recommence... dit Jack, mais un soldat lui assena un coup de crosse dans les jambes.

234

Un bruit bizarre se fit entendre et Zolo regarda Jack avec un intérêt soupçonneux.

Jack hurla de douleur et se plia en deux. Il croisa les bras, puis il se redressa lentement, tous les regards fixés sur lui.

Joan lut la douleur dans ses yeux mais elle y vit autre chose... la défaite ? Soudain le visage de Jack se tordit et on eût dit qu'il devenait fou. Sa jambe trembla nerveusement, comme sous l'effet de convulsions. Il se tourna, se plia, se tordit. Un instant, Joan se demanda s'il n'était pas pris de quelque crise d'épilepsie.

Elle rencontra le regard meurtrier de Zolo qui continuait à lui maintenir le bras par-dessus le mur. Puis elle vit Elaine, appuyée contre un mur de pierre, les yeux exorbités par l'horreur, et elle eut l'impression d'entendre cogner le cœur de sa sœur.

Tous les assistants paraissaient fascinés par l'étrange danse de Jack. Sa jambe fut agitée d'une dernière secousse et, soudain, il s'immobilisa et adressa à Zolo un sourire charmeur.

– Le cœur ? Il est à vous. Venez le chercher.

L'énorme pierre précieuse tomba de la jambe du pantalon de Jack sur ses bottes fatiguées.

Joan libéra son bras de l'emprise de Zolo et regarda Jack.

– Et combien de temps aurais-tu attendu ?

Jack, lui retournant son sourire, projeta la pierre en l'air d'un coup de pied. Joan regarda l'inestimable joyau qui dessinait une queue de comète dans son ascension. La vie de sa sœur, celle de Jack, la sienne avaient dépendu de cette pierre ! Pour *El Corazón*, on avait commis des meurtres, ruiné des vies...

A l'apogée de son vol, l'émeraude parut demeurer

un instant suspendue avant de heurter une branche de palmier puis de disparaître à la vue.

Joan se sentit désespérée, pensant que la pierre aurait pu leur apporter la liberté. Il sembla s'écouler un long moment avant que reparaisse l'émeraude, dégringolant d'une branche à l'autre. Comme de main en main, la pierre précieuse glissa de feuille en feuille, tombant toujours.

Lorsqu'elle atteignit la dernière branche, une main se tendit pour la récupérer : la main droite de Zolo dont les doigts avides se refermèrent sur l'énorme émeraude tandis qu'il lançait à Jack un regard mortel.

– Merci! dit Zolo.

A cet instant, Jack sut que Zolo ordonnerait leur mort.

Zolo leva le bras et ouvrit la bouche pour lancer son ordre quand... La petite porte de bois du muret vola en éclats tandis que le crocodile rayé de jaune passait la tête et plantait ses dents acérées dans le bras de Zolo. D'une seule torsion de la gueule, le crocodile priva Zolo et de sa main et d'*El Corazón*.

Les hurlements de Zolo emplirent la nuit. Il tomba à genoux, laissant choir son stylet, fixant d'un regard incrédule son bras amputé. Son visage, tordu par la douleur et la haine, ressemblait à celui d'une gargouille médiévale.

Profitant de son seul avantage, Jack recula et envoya son poing dans la figure de son gardien. L'homme ne tituba qu'une fraction de seconde avant de frapper Jack à l'estomac. Effet de l'adrénaline ou courage à l'état pur, toujours est-il que Jack se remit à cogner du poing le visage de son gardien, encore et encore, le martelant d'une série rapide qui, en moins de quinze secondes, fit perdre connaissance à l'homme. Avant que quiconque réalise ce qu'il faisait, dans la confusion et les hurlements, Jack, armé d'une mitraillette, arrosait aussi les soldats à la ronde.

Tandis qu'ils couraient, cherchant un refuge, Joan arrachait le stylet de Zolo et entraînait Elaine à l'abri derrière une caisse.

Joan, arborant un sourire de victoire, regardait les projectiles crachés par l'arme de Jack ricocher sur les murs du fort. Un des soldats, trop lent à réagir, s'écroula en se tenant la jambe. Une des balles de Jack l'avait atteint.

Jack se retourna et arrosa de nouveau le sol, touchant un autre soldat qui tentait un sprint pour trouver refuge derrière un rouleau de cordes. L'homme s'écroula.

Zolo, qui souffrait toujours le martyre, s'abrita en titubant derrière une pile de vieilles caisses. Saignant, il se fit un garrot de sa cravate puis enveloppa son bras dans sa veste. Satisfait d'avoir fait tout ce qu'il pouvait pour sa blessure, il s'adossa aux caisses et évalua la situation. D'une main gauche tremblante, il fouilla dans sa poche, en retira un cigarillo et l'alluma. Il tira une longue bouffée. La vengeance bouillonnait dans ses veines, lui donnant l'énergie d'attaquer une fois encore. Il arracha une planche. Avec ses clous rouillés, elle constituerait une arme intéressante. Sur Joan Wilder, d'abord. Ses yeux étincelèrent à la pensée des cris qu'elle pousserait lorsqu'il lui déchirerait le visage, comme avec un râteau.

Ralph passa en courant à côté de Zolo, dévalant le passage, essayant d'éviter les balles de Jack et les mâchoires du crocodile. De nouveau, il maudit Ira pour toute cette mésaventure et jura de se venger.

Soudain, il s'arrêta. Il se trouvait dans un cul-de-sac et ne pouvait s'échapper... sauf en grimpant.

Ralph se jeta sur le vieux mât branlant et se hissa vivement. Le mât oscilla, mais Ralph s'y cramponna, question de vie ou de mort. Au-dessous de lui, le crocodile faisait claquer ses mâchoires, impatient.

Avec une agilité remarquable, le grand crocodile se glissa le long des remparts.

Jack repéra le porteur d'émeraude, rejeta la mitraillette et fonça rapidement sur la bête. Echec de la première tentative. Au second essai, Jack le toucha mais il n'avait pas prévu une carapace aussi glissante. D'un coup de queue, l'animal le balança contre le mur. Un instant étourdi, Jack ne voulait pas renoncer. Reprenant sa respiration et empoignant sa proie avec davantage de précision, il réussit à s'accrocher au crocodile.

– Je te tiens! Gros lézard au ventre jaune!

Jack, occupé à maîtriser le crocodile, ne vit pas Ira qui traversait à découvert tout en tirant sur les hommes de Zolo. Ira vira sur la gauche et s'abrita derrière le rempart.

Deux fois, Jack faillit être atteint par les ricochets des balles mais il refusa de lâcher prise, ne se préoccupant guère de savoir qui tirait sur qui. Son seul souci était de récupérer l'émeraude. Ses mains saignaient tant les écailles du crocodile se révélaient tranchantes. Lorsque, pour la seconde fois, l'animal balança Jack contre le mur d'un coup de sa queue puissante, il faillit perdre connaissance. Soufflant, suffoquant, il n'entendait plus rien, ne voyait plus rien.

Ce fut le coup de queue suivant du crocodile qui lui fit reprendre ses esprits. Il entendit courir des hommes dans tous les sens et des coups de feu. Il lui fallut un moment pour récupérer.

Lorsqu'il leva enfin les yeux, il aperçut l'animal se diriger vers une meurtrière vide de son canon. Bien que toujours chancelant, Jack sauta sur ses pieds. Soudain, Ira sortit de l'ombre d'un bond et, de son revolver, frappa Jack à la poitrine.

– Fini, l'ami! dit Ira avec un regard mauvais.

Jack, furieux qu'on vienne gêner sa poursuite du crocodile, fit voler l'arme des mains d'Ira d'un coup de poing. Le revolver, projeté vers les remparts, s'arrêta près de la meurtrière. Jack, saisissant Ira à la gorge, le souleva et le balança par-dessus le mur, dans le marécage.

Puis il se retourna vers la meurtrière juste à temps pour voir le crocodile filer par l'ouverture. Jack lui sauta dessus avant qu'il ne disparaisse et le saisit par l'extrémité de la queue, tandis que l'animal, sans succès, tentait de se débarrasser de l'homme. Cette fois, Jack sut qu'il ne lâcherait pas prise car il connaissait la valeur de sa proie et se sentait sûr de sa victoire.

Le hurlement des sirènes, au loin, détourna soudain l'attention de Joan qui observait la scène. Vivement, elle saisit Elaine par le bras et se glissa avec elle le long d'un mur de pierre, consciente qu'il leur fallait profiter de l'instant pour s'échapper.

Elaine agrippa la main de sa sœur avec une violence qui traduisait bien son effroi. Jusque-là elle avait à peine soufflé mot et Joan avait attribué son silence au bon sens et à la maîtrise de sa sœur. Maintenant, elle savait que sa sœur était en état de choc. Son regard était d'ailleurs vitreux.

Soudain, Joan frissonna, entendant une toux sèche bien connue. Elle se retourna et aperçut Zolo à moins de deux mètres d'elle, un bras enveloppé dans sa veste, une planche cloutée à la main. Il la fixait, une lueur de meurtre dans les yeux.

– Comment allez-vous mourir, Joan Wilder? Lentement comme s'avance une tortue ou rapidement, comme une étoile filante?

Joan, les sourcils froncés, se dit qu'elle avait écrit de meilleurs dialogues! Elle songea soudain qu'on pouvait penser à des choses curieuses et insignifiantes alors qu'on se trouvait face à la mort. Elle se dit qu'elle ne pourrait finir son livre, qu'elle n'irait pas à Paris en automne. Jamais elle n'apprendrait à patiner ni à perfectionner son revers... Mais si! Elle avait encore plein de projets : acheter un nouveau réfrigérateur, adopter un chaton et faire l'amour avec Jack! Elle ne voulait pas mourir!

Joan protégea Elaine de son corps. Zolo avançait lentement, faisant de ces derniers instants une torture mentale.

Soudain, Joan se souvint! Il lui restait une unique chance, mais une chance quand même.

Derrière son dos, Joan ouvrit le stylet de Zolo et attendit patiemment.

Quand elle le jugea à bonne portée, elle balança vivement le stylet qui partit en tournoyant, ratant complètement sa cible.

Zolo laissa tomber la planche cloutée et saisit le stylet au vol, par le manche.

Joan eut conscience d'avoir abattu sa dernière carte. A la vue de Zolo, le couteau à la main, Elaine perdit connaissance et glissa le long du mur, derrière Joan.

Les yeux de Zolo se firent plus brillants tandis qu'il avançait d'un pas encore vers Joan.

– Jack! hurla-t-elle.

Toujours en lutte avec le crocodile, Jack leva la tête. Il n'en crut pas ses yeux : pour lui, Zolo était à l'agonie, sinon mort. Il balaya les environs du regard et repéra l'arme d'Ira, mais hors d'atteinte.

Zolo se fendit, d'un mouvement brusque. Mue par l'instinct de conservation, Joan fit pivoter son sac et s'en protégea le visage. Derrière ce bouclier, elle lança un coup de pied dans les genoux de Zolo, puis le griffa au visage, assez profondément pour le faire saigner. Elle voulait lui faire mal, le détruire avant qu'il ne puisse tuer encore.

Lorsque Zolo recula avant de lui porter un nouveau coup de couteau, d'un mouvement brusque elle tenta de lui crever un œil. Cette fois, de son bras valide, il la projeta contre le mur. Elle eut l'impression que toutes ses côtes se brisaient.

– Jack! réussit-elle à crier de nouveau.

Jack, refusant de lâcher le crocodile, s'efforçait avec son pied d'atteindre l'arme. S'il réussissait ainsi à la ramener à lui, il pourrait abattre Zolo et sauver Joan sans risquer de perdre le trésor. Il grogna en se rendant compte que l'arme demeurait hors de portée.

Le crocodile, comme conscient du dilemme de son agresseur, battit de la queue plus vigoureusement mais Jack tint bon.

Il jeta un coup d'œil vers Joan, un autre sur le crocodile puis revint à l'arme, torturé par l'indécision. Il opta pour un compromis, lâchant le crocodile d'une main et tentant de saisir l'arme. Il voulait sauver et la pierre et Joan!

– Jack! cria de nouveau Joan.

– Enfant de... dit Jack, lâchant la queue du crocodile.

L'animal plongea, le fabuleux *El Corazón* bien en sécurité dans l'estomac.

Jack plongea sur l'arme, visa Zolo et pressa la détente. L'arme était vide!

– Nom de Dieu! s'écria-t-il en lâchant le pistolet et en se précipitant vers Joan.

Zolo maintenait Joan plaquée et levait lentement le stylet vers son visage, le regard brûlant de fureur. Elle lui saisit le poignet. Ses muscles tremblaient mais elle continuait à garder Zolo à distance. Pour combien de temps?

Il allait la sauver! Du coin de l'œil, elle aperçut la planche cloutée à quelques centimètres de sa main libre. Si seulement...

Jack courait toujours, les poumons en feu, suffoquant. Il vit que le stylet ne se trouvait qu'à quelques centimètres du visage de Joan. Il accentua son effort mais lorsqu'il ouvrit la bouche pour crier quelque chose à Zolo – n'importe quoi pour détourner l'attention du maniaque et l'empêcher de tuer Joan – aucun son n'en sortit.

Jack ne vit pas Ralph qui, au-dessus de lui, était toujours agrippé à son mât. Ralph changea de position une fois de trop. Le socle de brique finit par céder sous son poids et il tomba droit sur Jack. Ils roulèrent ensemble sur le sol. Jack réussit à se redresser.

– Merci, merci! dit Ralph, se relevant à son tour. Vous avez amorti ma chute. Vous m'avez sauvé la vie! Si vous n'aviez pas été là...

Jack saisit le minable à deux bras et le projeta contre le mur.

Joan tenait le stylet bloqué à moins de cinq centimètres de son œil droit, Zolo la fixant, le cigarillo toujours aux lèvres, un pied sur le bras de Joan pour l'empêcher d'atteindre la planche à clous. Joan tenta de libérer son bras mais ne réussit qu'à s'entailler le poignet sur le talon de la botte de Zolo.

Las de s'amuser de sa victime, Zolo se décida pour la mise à mort et tira une longue bouffée de son cigarillo. Ce qui le fit tousser.

Instantanément, Joan lui arracha le cigarillo des lèvres, et en écrasa l'extrémité incandescente sur la main de son tortionnaire. Zolo hurla et lâcha le stylet. Joan saisit sa chance.

Elle lui assena un coup de poing dans la figure, sentant craquer sous ses doigts les os du nez. Si elle avait eu un poing américain, elle aurait été ravie de lui briser la mâchoire.

Zolo, la main au visage, se dégagea d'elle.

Joan bondit sur ses pieds tout en ramassant la planche cloutée. Il titubait, tentant de l'attraper mais Joan l'esquiva et, saisissant la planche à deux mains, l'abattit sur la tête de Zolo. Avec un ultime mouvement plein de grâce, le colonel Zolo, chef adjoint de la police secrète, roula par-dessus le mur et plongea vers sa mort.

Joan parvint au mur juste à temps pour le voir tomber dans l'eau sombre du marécage où, quelques secondes plus tard, quatre crocodiles convergèrent vers lui.

A cet instant, Jack arriva en courant et assista à l'horrible spectacle.

Il regarda Joan, le visage couvert de sueur, un éclair de victoire dans les yeux. Seule, elle s'était débarrassée de Zolo, exploit dont il se demanda s'il en eût été capable. Elle lui parut plus belle que jamais – farouche, confiante et brave. Il n'y avait qu'une femme comme elle! Il lui sourit.

Reprenant enfin sa respiration, Joan lui retourna son sourire. Elle était enfin digne de ses héroïnes!

– Un sacré finale que vous avez monté là, Joan Wilder!

A cet instant la baie se mit à grouiller d'une multitude de lumières. Les bateaux de la police! L'air s'emplit du bruit des sirènes des voitures de la police de Cartagena et Joan ressentit un immense soulagement. Cette fois, c'était vraiment fini et ils allaient pouvoir tous se remettre à vivre. Elle regarda Jack, rayonnante, mais il s'éloignait d'elle.

– Va au consulat des Etats-Unis. Explique-leur ce qui s'est passé...

– Où vas-tu? demanda Joan, incrédule.

– Ils te croiront peut-être, mais ne parle pas de moi. (Des policiers par dizaines grimpaient les escaliers au-dessous d'eux.) Les flics de Cartagena. Moi je me tire.

– Tu t'en vas? Tu me quittes? cria-t-elle.

Impossible que cela lui arrive à elle! Après tout, elle s'en était sortie, elle était censée gagner le héros! Les romans ne devaient-ils pas toujours finir bien? Ignorait-il que ce n'était pas ainsi qu'elle aurait écrit leur histoire? Comment pouvait-il la quitter alors qu'elle l'aimait?

– Tu t'en tireras très bien, Joan Wilder, dit Jack en s'enfonçant dans l'obscurité. Ça ira pour toi. Tu as été parfaite...

Parti, comme s'il n'avait jamais existé! Joan en était abasourdie.

– Jack Colton... Je t'aime!

30

Le printemps traînait en coulisse en ce mois d'avril, rechignant à faire son entrée, tandis que Joan remontait un sentier de Central Park. Elle resserra plus étroitement son écharpe autour de son cou pour se protéger du vent qui soufflait en rafales et enfouit ses mains nues dans les poches de sa jaquette. Des jonquilles et des crocus perçaient les plaques de neige.

Il y avait exactement trois mois jour pour jour qu'elle avait quitté la Colombie. Les premiers jours de son retour à New York s'étaient révélés difficiles car elle se sentait toujours sous le choc de l'abandon de Jack. Mais Elaine avait besoin de son réconfort pour surmonter le chagrin de la mort d'Eduardo.

Lors de ses explications avec les autorités colombiennes, Joan n'avait témoigné que peu de respect pour Eduardo. Et puis, à leur retour, son testament fut ouvert. Deux jours avant son mariage avec Elaine, Eduardo avait contracté une assurance sur le vie d'un demi-million de dollars! Elaine avait payé l'hypothèque de sa maison et investi le capital nécessaire pour redorer le blason de la librairie. Elle avait quitté son emploi et pris la direction de la librairie. La veille encore, alors qu'elle dînait avec Joan chez *Erminia*, dans l'Upper East Side, où les pâtes dépassaient le stade du sublime, Elaine avait déclaré qu'elle envisageait sérieusement d'ouvrir un second magasin dans Soho.

Joan se sentait heureuse pour Elaine, qui commençait à remonter la pente. Et elle était assez fière d'elle-même.

Désormais, elle n'évitait plus les séances de signatures, les émissions de radio ou les interviews organisées pour elle par son éditeur. Tout cela, finalement, lui permettait de mieux connaître son public. Lorsqu'elle se mettait à sa machine à écrire, ses personnages acquéraient plus de profondeur et ses intrigues une tension qui jusqu'alors leur manquait. Joan était fière de son œuvre et cela transparaissait dans chacune de ses lignes.

Lorsque Elaine commença à faire des rangements et à donner les affaires d'Eduardo à des œuvres, Joan décida qu'il était temps, pour elle aussi, de rendre son appartement plus pimpant. Jamais encore elle n'avait décoré une pièce personnellement.

Sa chambre à coucher apparaissant la plus délaissée, elle commença par là. Elle conserva la belle commode qui avait appartenu à ses parents, mais rien d'autre. Elle dépouilla les murs du papier à motifs floraux et les enduisit d'une couche de crépi blanc. Elle teinta de clair les boiseries, les moulures et les portes. Elle fit l'achat d'une fausse cheminée électrique. Elle choisit un lit à baldaquin en acajou et acheta vingt-cinq mètres de moustiquaire.

Le soir, une fois terminée son empoignade de la journée avec Angelina et ses orageux exploits, Joan prenait un bain dans une eau bleue parfumée, allumait la cheminée et se glissait sous la moustiquaire pour penser à Jack.

Romanesque comme elle l'était, jamais une seule fois au cours de ces trois mois, elle n'avait perdu espoir. Elle l'aimait et lui faisait confiance. C'était aussi simple que cela. Peut-être ne le reverrait-elle jamais, mais il l'aimait. Et, tôt ou tard, il réussirait à s'échapper de Colombie.

Pour autant, Joan ne permettait pas que son amour pour Jack l'empêche de vivre. Elaine et elle sortaient davantage et son amie Carolyn lui avait présenté plusieurs partis tout à fait acceptables. Même Andrew, l'agent de change, lui fit savoir qu'il était libre. Bien que goûtant la compagnie d'autres hommes, elle aimait toujours Jack. Elle ne l'avait connu que durant quatre jours, et puis après?

Tout d'abord, Elaine avait craint que sa sœur ne se renferme sur elle-même, comme par le passé. Ses craintes dissipées, Elaine partagea l'espoir de Joan de retrouver Jack un jour.

En sortant du parc ce jour-là, Joan arborait une nouvelle souplesse dans la démarche, un sourire plus assuré.

En passant devant le Muséum d'histoire naturelle, elle entendit un tintement de cloches pareil à celui qu'elle avait perçu lorsque Jack et elle avaient rencontré Juan, le fondeur de cloches. Tournant le coin de la rue, elle tomba sur la charrette d'un camelot portoricain débordante de médaillons. Des cœurs en or, en jade, en cristal, en tourmaline, se mêlaient aux carillons de minuscules cloches.

Joan porta la main au médaillon offert par Jack, qu'elle portait toujours, puis sourit au camelot et poursuivit sa route.

Sur un banc, en avant d'elle, elle aperçut un groupe de punks, assis jambes étendues pour ennuyer les filles. Joan se redressa et avança, sans dévier. Naguère, elle aurait été intimidée par ce genre d'individus, mais c'était avant qu'elle ne recontre des hommes bien plus dangereux que ces gamins. Des hommes qu'elle, Joan Wilder, avait vaincus.

Lorsque les punks la repérèrent, ils sautèrent sur leurs pieds et se livrèrent à des commentaires crus sur sa beauté. Joan, la tête haute, les fixa et poursuivit son chemin, les cheveux flottant fièrement au vent.

En arrivant à son immeuble, elle entendit un bruit d'avertisseur de voiture comme jamais encore elle n'en avait entendu. Regardant vers le haut de la rue, elle ne distingua rien d'insolite mais, en se retournant, elle sursauta de surprise.

Au milieu de sa rue, elle vit avancer un énorme et luxueux bateau, qui devait faire la hauteur de deux étages. Ponts de teck, bastingages de cuivre et trois grands mâts. En regardant mieux, Joan vit qu'il n'avançait pas tout seul. Il était remorqué... par Jack!

Tandis que le bateau s'arrêtait à côté d'elle, Jack sourit de son sourire enfantin et lui lança une épaisse enveloppe.

– Ta part... la moitié...

– La moitié! dit Joan, ramassant l'enveloppe. La moitié! Qui t'a dit que tu avais droit à la moitié?

– C'est le tarif pour des associés à parts égales, dit-il tandis que, le pied posé sur le bateau, il continuait de lui sourire.

Joan jeta un regard sur ses chaussures.

– J'aime tes bottes en croco!

– Ouais, le pauvre vieux au ventre rayé de jaune nous a fait une indigestion fatale. Il est mort dans mes bras.

Joan lui lança un regard provocant et répliqua :

– On ne peut lui en vouloir. Si je devais mourir, c'est l'endroit que je choisirais.

– Et si toi, tu m'emmenais faire un tour, pour changer ? proposa Jack après un regard autour de lui.

– D'accord.

Jack l'attira à lui.

– Ensuite on reviendra et tu pourras faire tes valises.

– Mes valises ? demanda-t-elle tandis que, la prenant par la taille, il la serrait contre lui.

Ses yeux bleus brillants de passion, il se pencha sur elle et elle lui passa les bras autour du cou.

D'une voix basse, approchant son visage, il lui demanda :

– Tu ne crois pas qu'il est temps de quitter la jungle ?

Debout sur le pont d'*El Corazón*, Joan et Jack se souciaient peu des voisins qui, derrière les vitres de leur appartement, les regardaient. Ils ne savaient qu'une chose : leur aventure ne faisait que commencer.

Cher lecteur,

Mon espoir le plus fervent est que vous ayez pris plaisir à la lecture de *A la poursuite du diamant vert*. Bien qu'ayant écrit plusieurs romans d'amour, historiques ou contemporains, j'ai pour cette histoire une tendresse toute particulière, parce que l'héroïne, Joan Wilder, est, elle aussi, romancière.

Tout comme Joan, assise à son bureau, rêvant de séduisants héros, de femmes courageuses, j'ai passé de longues heures devant ma machine à écrire, à en faire de même. Pour moi, Joan fait partie de ces Cendrillon modernes, de ces femmes dont nos mères disaient qu'elles ont « l'éclosion tardive ». Timide, introvertie et très solitaire, elle rencontre Jack Colton qui la révèle à elle-même. Ce qui fait de Joan un personnage unique, c'est que lorsqu'elle commence à sortir de son cocon, elle n'en conçoit aucune frayeur. Peut-être devrait-elle être inquiète, pense-t-elle, mais elle ne l'est pas.

Je crois que parmi toutes ses qualités, la plus admirable est cette absence de crainte.

Jack, bien sûr, possède toutes les qualités d'un héros : charme, force et gentillesse – mais au cours de l'histoire se révèlent à nous les démons qui hantent son passé. Comme tant d'hommes, il joue les durs, mais il souhaite ce que souhaitent la plupart d'entre nous : être aimés pour eux-mêmes.

Tandis qu'au cours des semaines s'élaborait l'histoire de Joan, bien des choses sont arrivées, à elle comme à moi. Le rêve de Joan de découvrir le Prince Charmant – avec un trésor en prime – me parut peu de chose en comparaison du fait que la

Twentieth Century Fox m'offrait un voyage en avion à Hollywood pour y rencontrer le héros de mes rêves, Michael Douglas en personne. Existe-t-il une seule Américaine qui ne soit pas tombée amoureuse de Michael Douglas depuis les tout premiers épisodes des *Rues de San Francisco?* Si oui, ce n'est pas moi! Il fait partie de ces vedettes pour lesquelles on reste le nez collé à l'écran de la télé, même pendant les pubs! Rencontrer Michael fut vraiment la réalisation d'un rêve. Je me pinçais pour m'assurer qu'il ne s'agissait pas simplement d'un passage de l'un de mes romans!

J'avais vu Kathleen Turner pour la première fois dans *Les Docteurs* lorsqu'elle a joué pendant quelque temps le rôle de Nora Aldrich. Dès cet instant, je fus fascinée par son talent et sa beauté. Je me souviens d'avoir essayé de faire boucler mes cheveux comme les siens pour une soirée de Noël. Un vrai désastre! Cette coiffure lui allait beaucoup mieux qu'à moi. Mon mari et moi adorons *Body Heat*, un grand film dont elle est la vedette. Nous l'avons vu quatre fois!

Rencontrer de vraies vedettes de cinéma et assister au tournage d'un film constituent de ces rêves tellement inaccessibles que je n'aurais même pas osé y songer. Vous comprenez donc que je me sente planer, ces temps-ci!

A tous ceux d'entre vous qui ont lu cette histoire et qui pensent que cela ne pourrait jamais arriver dans la réalité, je dis : repensez-y. Je suis la preuve vivante que les contes de fées se réalisent vraiment!

Sincèrement vôtre,
Catherine Lanigan.

Chère Cathy,

Tourner *A la poursuite du diamant vert* a constitué un véritable enseignement pour moi. Jouer dans un film, quel qu'il soit, tient toujours du romanesque mais, jusqu'à ce film, j'ignorais ce qu'était le vrai romanesque! *A la poursuite du diamant vert* est différent de tout ce que j'ai pu faire avant... et demeurera toujours, pour moi, un film particulier.

Du début à la fin, j'ai travaillé avec une équipe merveilleuse, totalement immergée dans le romanesque. Je ne pensais pas que « Joan Wilder » pouvait toucher tant de gens – et être tant de gens. Et vous et Kathleen êtes vraiment devenues « Joan Wilder » au cours de notre travail sur *A la poursuite du diamant vert*. J'espère que le roman et le film permettront à des millions d'autres femmes de découvrir qu'elles peuvent devenir les héroïnes de leurs propres rêves – et de comprendre qu'il est possible de vivre une vie dont on n'osait que rêver.

J'ai été content de vous connaître, vous. Je vous suis reconnaissant pour la manière dont vous avez fait glisser Joan et Jack de l'écran aux pages de ce livre. Et je suis heureux que vous y ayez, de plus, trouvé du plaisir!

Affectueusement,
Michael.

Romans érotiques

APOLLINAIRE Guillaume
Les onze mille verges (704★)
Les exploits d'un jeune Don Juan (875★)
Des œuvres scandaleuses et libertines écrites par un grand poète.

ARSAN Emmanuelle
Laure (770★★★★)
Toute Emmanuelle (1046★★)   *(oct. 84)*
Vanna (1114★★★)
Par l'auteur d'Emmanuelle.

BERG Jean de
L'image (1686★)
... ou le bonheur de la soumission.(sept. 84).

BRUNOY Clément
Salyne (1674★)
Le goût du fruit défendu.
Moi, Nicole, 20 ans, impertinente (1735★★)
Totalement libérée.   *(déc. 84)*

CHARLES Claude
Polychromie (1612★★★)
Le frère et la sœur s'aiment...

CLELAND John
Fanny Hill (711★★★)
Un classique de la littérature érotique.

DELACOMTÉ Arnaud
Noémie-la-Nuit (1493★★)
Une infirmière « serviable » et amoureuse.

DONOSO José
La mystérieuse disparition de la jeune marquise de Loria (1439★★)
Un merveilleux conte érotique.

EYMOUCHE Claude
... Et le bel aujourd'hui (1597★★)
Des jeunes gens découvrent l'amour physique.

FELIX Anne
Fuchsia (1661★★★★)
Belle et tentée par tous les plaisirs.

FORGE Sandrine
Lily (1453★★★)
Petite bourgeoise, elle devient call-girl.

GUERINEAU Gustave
Séduction (1526★)
Une initiation amoureuse et friponne.

HOLLANDER Xaviera
Madam' (838★★★)
Un hymne à la joie du sexe.

JONG Erica
Le complexe d'Icare (816★★★★)
L'épouse d'un psychanalyste découvre l'incarnation virile de ses fantasmes.
Fanny Troussecottes-Jones
(2t. 1358★★★★ et 1359 ★★★★)
Fille de joie, voleuse, sorcière, pirate, mère aimante, beauté fascinante.

LAUREY Joy
Joy (1467★★)
Une femme aime trois hommes....
Joy et Joan (1703★★)
... et une femme.   *(oct. 84)*

MANTEGNA Antoine
7 (1485★★★)
Un étrange rituel d'amour dans une île.

MOORCOCK Michael
La Maison de Rosenstrasse (1645★★★)
... où l'on parfait son éducation sexuelle.

O'HARA Connie
Clayton's college (1630★)
Adolescentes dans la chaleur de l'été.

WORDSMITH A.N.
Elle (1543★★)
... trouve dans le sexe sa raison de vivre.

XAVIÈRE
La punition (538★)
Une fille leur résistait.
F.B. (1585★)
Une descente aux enfers du masochisme.

XXX
Journal plutôt inconvenant d'une jeune fille (1558★★)
... qui brave les interdits de son temps.
Les mémoires d'une chanteuse allemande (1572★)
Un grand classique de l'érotisme.
The Pearl (1717★★★★)
L'érotisme de l'époque victorienne.(nov. 84)

Cinéma et TV

Achevé d'imprimer sur les presses de l'imprimerie Brodard et Taupin
58, rue Jean Bleuzen, Vanves. Usine de La Flèche,
le 20 juillet 1984
6731-5 Dépôt Légal juillet 1984. ISBN : 2 - 277 - 21667 - 4
Imprimé en France

1667
★★★

Editions J'ai Lu
27, rue Cassette, 75006 Paris
diffusion France et étranger : Flammarion